マララ・ユスフザイ

1冊の本、1本のペンで世界を変える！

㊔ リサ・ウィリアムソン
㊕ マイク・スミス
㊖ 飯野眞由美

First Names : MALALA YOUSAFZAI

by Lisa Williamson

Published by arrangement with David Fickling Books,

an Imprint of David Fickling Books,

through Tuttle-Mori Agency, Inc., Tokyo

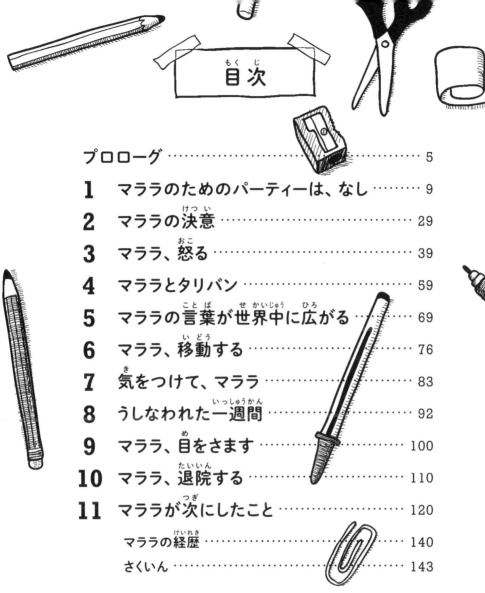

目次

この本で登場人物たちが話す吹き出し内の言葉や考えは、基本的に調査や資料をもとにしたものですが、なかにはマララ・ユスフザイやほかの重要な人たちの実際の発言や言葉が引用されている部分もあります。その部分は、次のような書体を使っています。
(例) P117「ひとりの子ども、ひとりの先生、1冊の本、1本のペンが、世界を変えられるのです。」

「マララ・ユスフザイ」という人名は、本来の音は「マラーラ・ユースフザイ」に近いですが、日本では一般に「マララ・ユスフザイ」と報道されてきたため、本書でもこれに合わせています。

プロローグ

とき◇2012年10月９日
場所◇パキスタン、スワート渓谷の都市ミンゴーラ

マララは学校から家へ帰るバスの中でごきげんだった。午前中の試験はとてもよくできたという自信があるし、午後は家でゆっくりしようと思っていた。

親友のモニバとクスクス笑いあっていると、バスがいきなり止まった。わかい男がひとり、道路でバスの前に立ちふさがっている。長くて白い服を着て、野球帽をかぶっている。

「ホシュハール・スクールのバスだな？」といって、その男はバスに乗りこんできた。

別のわかい男もバスの後ろからとびのってきて、中に入りこんだ。ふたりの男ににらみつけられて、少女たちはだまり、車内は静まりかえった。心臓がどくどくと大きな音をたて、マララはとなりにいるモニバの手をぎゅっとにぎった。20人ほどの少女たちが、固いプラスチックのベンチにぎゅうぎゅうづめですわっていた。男たちがバスの中を見まわすと、少女たちは体をこわばらせて、男たちをだまって見つめていた。

「マララはどいつだ？」

ふたり目の男がつっけんどんに聞いた。だれも答えなかった。でも、何人かの少女が、ついマララのほうへ目をやってしまった。すると、男がピストルを取りだした。

マララはおそろしさのあまり、体がこおりついた。

男はマララをひたと見つめると、ピストルをあげて、マララの頭にねらいをさだめた。ほかの少女たちが悲鳴を上げだした。マララは声をたてず、ただ、モニバの手をいっそう強くにぎりしめた。

次の瞬間、男は引き金をひき、何もかもが真っ暗になった。

マララは大量の血を流していた。バスはむきを変え、地元の病院を目指して、ミンゴーラのでこぼこ道を猛スピードで走った。

病院に着くと、医師は助かる見こみはほとんどないといった。きびしい現実に、マララの父はつらい思いで葬式の準備を始めた。

こうして、男たちはマララをだまらせるのに成功したように見えた。

だが、マララは死ななかった。生きのび、うたれてから数日のうちに、世界で最も有名なティーンエージャーのひとりになっていた。あらたな名声を手にいれたことで、マララはそれまで以上に、自分の信じるもののために立ちあがる決意を強くした。

11歳のときから、女子が教育を受ける権利について強く主張してきた。世界中のすべての少女ひとりひとりに学校へ行くだけの価値があり、できるかぎり多くの人に自分のメッセージを聞いてもらいたいと思っていた。そして、今もそう思っている！　その後の数年間で、マララのメッセージは世界中に広まった。本を書き、テレビに出演し、オバマ大統領（2013年当時）やエリザベス女王など、さまざまな重要人物に会ってきた。また、史上最年少でノーベル平和賞を受賞した。

まったく、すごいことだよ！

うーん、でも、わたし自身はまったくふつうの女の子なのよ。

いやいや、すごいことだよ！　アメリカのシンガーソングライターのビヨンセがきみに、誕生日おめでとうといったことがあったじゃないか。

ええ、そうだけど……

それに、アメリカの女優で歌手のセレーナ・ゴメスは、きみのことを「お手本」にしているといっていたぞ！

ああ、確かにね。でも実際には、わたしもほかの女の子たちとそんなに変わらないのよ。

そうなの？　くわしく教えてくれるかな……

テレビが好きだし、テレビのチャンネルとか、ウォツィィッツ*の最後のひと袋をどっちが食べるかというような、つまらないことで弟といいあらそいをするのよ！

ウォツィィッツが好きなの？？？

＊ウォツィィッツ……小袋に入ったイギリスのスナックがしで、チーズ味のコーンパフ。

ええ、そうよ！
それに、白身魚のフライも。
カップケーキもよ。
うーん、特にカップケーキが好きね……。
それから、読書と音楽を聞くのと、
ショッピングと、友だちと出かけるのも好き。
ああ、それから、朝、起きるのがすごく苦手！

ふーむ。そういうことを聞くと、確かにごくふつうの女の子のようだ。じゃあ、マララの物語を、これほど特別なものにしているのは、いったいなんだろう？　きっと、ピストルでうたれて、いきなり有名になったところから始まったわけじゃない。この「ふつうの女の子」は、生まれおちた瞬間から、並はずれたことを成しとげる運命にあったようだ。この物語を見ればわかるだろう。

1　マララのためのパーティーは、なし

ジアウディン・ユスフザイ*は大喜びしていた。1997年7月12日のむし暑い朝、妻が初めての子どもを産んだ。きれいで元気いっぱいの女の赤ちゃんだ。それから数日の間、ジアウディンは会う人ごとに、新しい家族がふえたことを話して聞かせた。うれしくてたまらなかったのだ。話を聞いた人たちは、お祝いの言葉はのべたものの、実はとまどっていた。

なぜ、あんなに喜んで、うれしそうにしているのだろう？　だって、生まれたのは女の子なのに。

パキスタンでは今でも、この世に生まれた瞬間から、男の子と女の子はたいてい、まったくちがうあつかいをうける。男の子が生まれると、家族はお祝いをする。空にむけて銃をうち、お客たちがゆりかごをかこんで喜びあい、ゆりかごの中をおかしやお金でいっぱいにする。だが、女の子が生まれたときには……銃をうつことも、おくりものをすることもないし、人々はその家をおとずれることさえしない！　それどころか、人々は「かわいそうな」母親に同情し、その母親のために、次は男の子が生まれるよう願うのだ。

世界中のどの国でもそうであるように、パキスタンでも女の子は重要な

＊本来の音は「ズィヤーウッディーン・ユースフザイ」に近いが、日本では一般に「ジアウディン・ユスフザイ」と報道されてきたため、本書でもこれに合わせた。

役割をになう。だが、女の子を育てることは経済的な負担だと思う家庭もある。女の子が、男の子のように外で働いて家にお金を入れることはむずかしい。働いてかせぐことができない上、結婚させて外へ出すには、100万ルピー（約47万円*）以上かかることもある。

ほとんどの女の子が妻や母になり、家で料理などの家事をしたり子育てをしたりして一生をすごすことになっている。そして、どういうわけか、女性が家でする仕事は、一定の収入を得る男性の仕事ほどは大事ではないと思われているようなのだ。何百年もの間、このような状況だったので、ジアウディンが娘の誕生を喜んだのは、きわめてめずらしいことだった。

父はこういう人なのよ！
ちがう両親のもとに生まれていたら、
わたしも今ごろは結婚していて、
少なくともふたりは子どもがいたわね。
わたしのことを知るためには、
まず両親のことを知ってもらう
必要があるわ。

＊2023年4月1日時点のレートで換算。

ジアウディン、高くはばたく

ジアウディンは子どものときからずっと、伝統に反発する傾向があった。そして、５人も姉妹がいた！　ジアウディンと兄は学校へ通ったが、姉と妹は家にとどまらされて、家庭を切りもりする方法を学んでいた。結婚して自分の家庭を持ったとき（ほぼまちがいなくそうなるのだが）、どうしたらよいかわかるようにだ。ジアウディンは、姉と妹が学校へ行けないのをとても不公平だと思っていて、大きくなると、このことを何とかしようという計画をたてた。

でも、父はひどく言葉がつかえて、
うまく話せなかったの。だから、
人前で話すのは、想像もつかないほど
こわいことだったはずよ。

ジアウディンは言葉がつかえたけれど、スピーチコンテストに応募した。そして、練習して練習して練習して、とてもじょうずになり、ねむっていてもくりかえせるくらいになった。

それでも、コンテストの日がやってくると、ジアウディンはこわくなった。

だが、意を決して話しはじめると、おどろくべきことが起きた。不安が消えさり、一度もつかえず、スピーチをやりとげることができたのだ。

しかも、優勝したのよ！

その後、ジアウディンはめざましい進歩をとげた。父親はとても感心して、ジアウディンにハヤブサという意味の「シャーヒーン」というニックネームをつけた。なぜなら、ハヤブサはほかの鳥よりも高く飛ぶからだ。ジアウディンの父親は、自分の息子にすばらしい未来が待っていると期待していた。だがそれは、ジアウディン自身が計画する未来像とはちがった。

おとうさん、
大学が決まったよ！
医学の勉強をするんだろ？
とてもほこらしいよ……
ちがうよ、英語の勉強を
するんだ。男の子と女の子の
ための学校をつくるんだ。

ジアウディンに医者になる気がないのなら、父親は生活費をださないつもりだった。それはつまり、ジアウディンは大学へ行けないということだった。

最終的には、家族の友人アクバル・ハーンのおかげで、ジアウディンは大学へ行くことができた。アクバルはジアウディンの話術のたくみさに気づいており、学校を開きたいという将来の夢をすばらしいと思っていた。そこで、ぜひとも学費を貸したいと申しでてくれた。ジアウディンはうれしくてたまらなかった。ついに、自分の人生が始まったと感じていた。そしてそれは、たまたまパキスタンの歴史上でも興味深い時期と重なっていた……。

きみの才能をむだにする
わけにはいかない！

1988年のパキスタンについて

政治的には、パキスタンは何年もの間、
ジェットコースターのように変化しつづけたの。
でも、ちょうど父が大学に行きはじめた1988年は、
特にわくわくするような状況になったわ……

パキスタンはインドの一部として、90年以上も英国に支配されていた。

1947年、ついに独立を手にしたが、ヒンドゥー教徒が主であるインドとイスラーム教徒が主であるパキスタンのふたつの国にわかれた。1300万人が移動しなくてはならなくなり、100万人がはげしい暴動で死んだ。

「新しい国パキスタンは、われわれが選挙で選んだ政治家が代表となる民主国家になるのだ」「ばんざい！」みんな新しい国に期待していた。

ところが、すぐに軍が支配権をにぎり、そのような選挙は23年間も行われなかった！

1970年12月に総選挙が実施されたあとでさえも、軍は支配権を手放したがらなかったが、1971年に内戦（第三次印パ戦争*）が起こり、数十万の人が死んだ。内戦によって、新しい国バングラデシュが生まれた。

その2年後の1973年、パキスタン人民党のズルフィカール・アリー・ブットーが、ついにパキスタンで正しく選ばれた最初のリーダーとなった。

＊第三次印パ戦争……バングラデシュ独立戦争。インドが介入し、1971年12月16日に東パキスタンがバングラデシュとして独立した。

しかし、軍は息をひそめていただけで、1977年にはブットーを追いだし、ズィヤー将軍をその地位につけた。

おそろしいことに、世界中の重要人物が
抗議したにもかかわらず、ブットーは
1979年に軍によって処刑されたの。

これは
本当のこと
なんです……
それはさておき……
ズィヤーはきびしい規則と宗教法を取りいれた。ナイトクラブと競馬を禁止し、スポーツや芸術における女性の役割を大幅に制限した。さらに、裁判では女性の証言は男性の証言の半分の重要性しかあたえられなかった！

1988年、マララの父が大学生になった年に、ズィヤーは飛行機事故で死に、ようやく民主主義が可能になったようだった。だから、特にわくわくするような状況になったというのだ。

アリー・ブットーの娘であるベーナズィールが、その年の選挙で父の政党だったパキスタン人民党のリーダーとなり、とても人気があった。ベーナズィール・ブットーは変化を望んでいた。女性と男性をもっと平等にしたかったし、パキスタンとインドの関係をもっとよくしたかった。

パキスタン人民党が選挙で勝利し、ベーナズィールはパキスタンで初めての女性の首相となった。

それはイスラーム世界全体でも初めてのことだった。

選挙はジアウディンが大学一年生のときにあった。以前の政府では禁止されていた学生組織の多くが、急にふたたび活発になった。みんな希望に燃えていた。

ジアウディンは人前でスピーチをした経験があったので、自然にリーダーとなり、やがて、あちこちのキャンパスでスピーチをしたり、ディベートの議長をつとめたり、デモを先導したりするようになった。そして、それまで以上に学校を開く夢に打ちこむようになった。

全パキスタン統一学生組織
PSF
もう少し小さな看板にしてくれないか？　前がみえないよ！

トールペカイの学校初日（そして最後の日）

マララの母トールペカイの人生を、大きく変えたかもしれないできごとがあった！

トールペカイが６歳のとき、父親はかなりめずらしいことをした。娘を学校に行かせたのだ。だが、トールペカイはあまりありがたいとは思わなかった。クラスでたったひとりの女の子だったし、さわがしい男の子たちばかりの中では、ひどく目立って、場ちがいだった。トールペカイはその日のほとんどを、いとこの女の子たちは何をしているだろう、自分はどんな遊びをしそこなったのだろうかと考えてすごした。

そして、授業が終わると、家には帰らず、市場に行って教科書をおかしと交換した。

だが、父親にしかられるのではないかと心配していた。ところが、どういうわけか、だれも何もいわなかった。だから、次の日には、いとこたちとまた外で遊ぶようになり、もう学校へはもどらなかった。

母は、父に出会って初めて、自分がうしなったものの重大さに気づいたんですって。

トールペカイは、ジアウディンの村をふくむ、いくつかの村が集まったところで育ったが、残念ながら、かなり大きくなるまでふたりが出会うことはなかったのだ。

ジアウディン、行動を起こす

パキスタンでは、結婚はたいてい花よめと花むこの親が手はずを整える。だが、ジアウディンとトールペカイは恋に落ちてしまった！

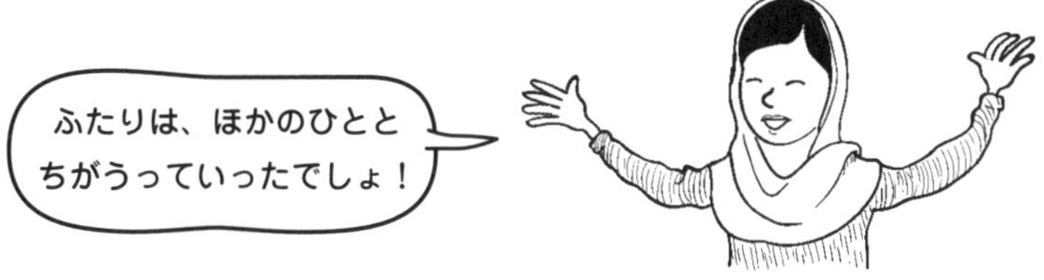

ふたりは、ほかのひとと
ちがうっていったでしょ！

だが、ふたりが結婚するのは、かんたんなことではなかった。ジアウディンはトールペカイに愛の詩を書いて送ったが、トールペカイは学校へ通わなかったので、そのころは字が読めなかった。だから、もらった手紙に何が書いてあるのかまったくわからなかった。それでも、手紙をくれたことがうれしかった。

ついに、ジアウディンはトールペカイと結婚する許可をもらいに行った。だが、ふたりの父親はおたがいを知っていて──仲はよくなかった。どちらの父親も結婚に反対だった。だが、ジアウディンはあきらめなかった。何度ことわられても、許可をもらいに行った……。

また、許可をもらいに行った……

そしてまた、許可をもらいに行った……。

だめだってば！

9か月もねばって、ようやくトールペカイの父親はおれた。

ふー！　わたしが生まれて
こないところだったわ！

ジアウディンとトールペカイは、おたがいにとって申し分のないパートナーだった。ふたりはいつも笑っていて、いっしょにいるととても幸せだった。たいていのパキスタンの家庭では、男性がすべてを取りしきり、何か大きなことを決めるのに、妻に相談するという考えさえ、ばかげたものだと思われていた。

だが、ジアウディンはまったくちがった。すべてのことをトールペカイと決め、大きなことでも小さなことでも、トールペカイのアドバイスに注意深く耳をかたむけた。今でもジアウディンは、大変なときに家族のきずながたもてたのは、トールペカイの強さのおかげだといっている。

ジアウディンの夢

大学を卒業して数年後、ジアウディンは学校を開く準備を始めた。英語で教える、男女共学の小学校だ。学校にするために手にいれたのは、ぼろぼろの古い建物で、しかも、かなりひどいにおいのする川岸にあった。その建物の修理とペンキのぬりなおしに、それまでためてきた貯金をすべてつぎこんだ。そして、家を１軒ずつまわって、最初の生徒たちを集めようとした。

その学校は、ジアウディンのヒーローである17世紀の詩人で戦士のホシュハール・ハーン・ハタックの名前をとってホシュハール・スクールと名づけられた。生徒たちに勇敢な戦士になってほしかったからだ。だが、武器は剣ではなく、ペンと頭脳だ！

きみがいばっても、
ぼくはおそれないぞ！

トールペカイはつねにジアウディンのそばにいて、建物を校舎として使えるようにするのを手伝い、ビジネスに関するアドバイスをした。ふたりは学校のむかいにあるふた部屋の掘っ立て小屋に住み、学校の経営がうまくいって、貧しさからぬけだせる日がくることを願った。

1994年の開校の日、学校はしみひとつなくピカピカだった。だが、ただひとつだけ（かなり大きな）問題があった。たった３人しか生徒を獲得できなかったのだ！

親たちは家の玄関でジアウディンと楽しく話し、ジアウディンの考えは気に入ったが、まったく新しい学校はリスクが大きすぎると感じ、前からいる学校に通わせたほうがよいと思ったのだ。

ジアウディンは平静をよそおっていたが、実はひどく困っていた。学校の経営にはお金がかかるので、すぐに借金の返済がおくれるようになった。結局、トールペカイが結婚式のときのバングル＊を売り、そのおかげで、学校は数か月続けることができた。だが、それから信じられないような不運に見まわれた。その地域が鉄砲水におそわれて、学校は中にあったものもふくめて、ひどい被害を受けたのだ！

＊バングル……金属やプラスチック製の留め金のない腕輪。

教科書や設備がくさいどろにまみれても、ジアウディンは夢をあきらめようとしなかった。特に今は、トールペカイのおなかの中に赤ちゃんがいるのだから……。

ふしぎなことに、1997年7月にマララが生まれると、ジアウディンに運がむいてきた。まず、一家は学校の2階にある、もっと快適な部屋に引っ越した（そのころまでには、どろをかたづけ終わっていた）。次に、ホシュハール・スクールは、すばらしい教師たちがいて、すぐれた方針を持つよい学校だといううわさが広まり、生徒たちがどんどん入ってくるようになった。マララが生まれてすぐに、生徒の数は100人になった。パキスタンの女の子たちが、ついに兄や弟たちと同じ教育を受けられるようになったのだ。ジアウディンの夢がかなおうとしていた。

パキスタンの学校について

- パキスタンでは公立学校は無料ということになっているが、公立学校が必ずしも一番よいというわけではないので、マララの父の学校のような私立学校のほうが人気がある。
- 学校は朝の6時か7時に始まる（お昼には家へ帰る）。たいていは、数学、理科、英語、社会、芸術、体育、ウルドゥー語（パキスタンの公用語）、イスラーム教を学ぶ。
- 公立学校のほとんどは男女別だが、私立学校は男女共学が多い。それでも、女子のほうが、学校へ通わない、あるいは、とちゅうでやめる人数がずっと多い。マララの父の学校は、小学校では共学で、11歳からは男女別々に学ぶ。授業はすべて英語で行われる。生徒にとって、とても学ぶ価値がある言葉だからだ。
- パキスタンの学校では、体罰はきわめてあたりまえのことだが……

また、宿題を忘れただと、
ハビーブ？
でも本当に、ヤギが
食べちゃったんです。
わたしの父の学校では、
体罰は決してないわ。

ジアウディンは最初から、娘の将来に大きな野望をいだいていた。だから、19世紀に生きていたマイワンドのマラライという10代の勇敢な戦士の少女から名前をとって、マララと名づけた。

マイワンドのマラライについての言い伝え

アフガニスタンの兵士たちは英国軍との戦いに苦しんでいた。旗手が殺されると、マラライはその旗を受けつぎ、自国軍をはげますために歌をうたった。アフガニスタン軍が勝利したが、マラライはうたれて殺された。

今日、マラライはアフガニスタンの偉大なヒロインとして記憶されている。

ジアウディンは、マララがマラライのように勇敢で影響力のある人間に育ってくれることを願っていた。そして、幸先のよいスタートを切れるように、家系図にマララの名前をくわえるよう求めた。これは大きなできごとだった。

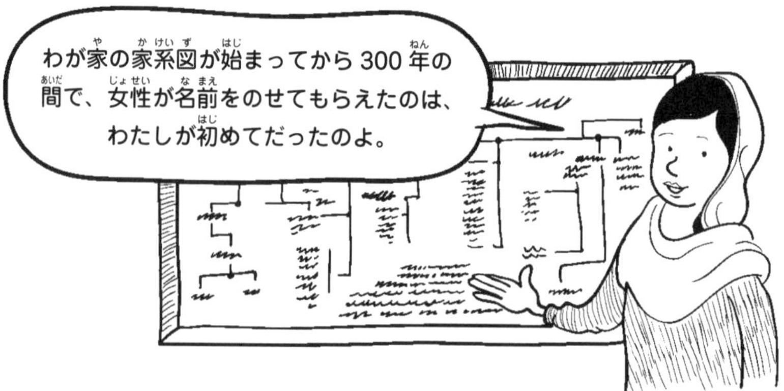

わが家の家系図が始まってから300年の間で、女性が名前をのせてもらえたのは、わたしが初めてだったのよ。

そのときまでは、男性の名前しか記録されなかった。女性の名前はひとりもリストにのっていない。パキスタンでは、多くの女性が、一生の間に自分の名前が書かれたものを見ることはない。家系図のような重要なものにさえ、自分の名前がのっていなくても、まったく気にしないのだ。

トラブルがやってきた

1階に学校があり、2階が自宅だったので、マララはしょっちゅう両親に会えたし、人生の最初の2年間は、両親の愛情をひとりじめしていた。だから、いきなり弟のホシュハールが1999年に生まれ、次にアタルがその4年後に生まれてきたときのショックは想像がつくだろう。

ああ、神様、どうして、こんな弟たちをわたしにあたえたのですか？こんな弟たち、ほしくなかった！
弟がふたりだけで、運がよかったね！

パキスタンでは、少なくとも7人か8人の子どもがいるのがふつうだ。だから、ユスフザイ家はかなり小家族だといえる。

弟たちは、初めからマララをいらだたせた。うるさいし、ずうずうしいのだ。それに、いつもマララのものを勝手に使う。マララはいらいらしどおしだった。だが、よいこともあった。クリケット*や鬼ごっこをするには、ひとりより3人のほうがいい（し、ずっと楽しい）。本当は、それなりにふたりが好きだと自分でもわかっていた。

ジアウディンは3人の子どもを平等に愛していたが、マララとはきわめ

*クリケット……野球ににたスポーツ。バットとボールを用いて1チーム11人で行われる球技。攻撃と守備を（1イニングずつ）交互に行い、総得点の多い方が勝ちとなる。

て特別なつながりがあった。息子たちが、おとうさんはマララのことばかり気にしていると不満をもらすと、ジアウディンはこんなことをいって、息子たちをからかった。

ちょっとがり勉

勉強のことでは、もちろん、マララは父親をがっかりさせるようなことはない。話すこともできないうちから、よちよち歩きでだれもいない教室に入り、何時間でも先生ごっこをして遊んでいた。学校へ通える年になると、学べることは何でも学びたくてたまらなくなっていた。

だがクラスには、マララのほかにも、熱心に勉強をする女子生徒がたくさんいた。学校に通えることは、特に女子にとっては貴重だったので、生徒はいつもまじめに取りくみ、先生の話に注意深く耳をかたむけた。女子生徒たちは熱心なあまり、少し大きくなると、数学の方程式や化学式をヘナタトゥー*で手にえがくようになった。このヘナタトゥーは、結婚式や祝日に昔からよく使われ、ふつうは、きれいな花やチョウの絵をえがくのだ！

マララがいつもトップなのは、父親が校長だからだと思っている人たちもいた。だが実際に、マララは本当に信じられないほどかしこかった。どんな場合にも、断じてひいきはなかった。マララは毎回、トップの地位を

＊ヘナタトゥー……特殊な染料を使って肌にペイントを施したもの。１～３週間ほどで自然に消える。

努力して勝ちとらなくてはならなかった！

2006年マララが9歳のとき、マルカ・エ・ヌールという新しい女子生徒が学校にやってきた。マララのように生まれつきかしこい上に大変な勉強家だったので、ある年マララをぬいてクラスでトップになった。いつもはマララがもらうピカピカのトロフィーが、マルカ・エ・ヌールに手わたされると、マララはひどくショックを受けた。学校から家に帰りつくまではなんとか持ちこたえたが、家に着くなり大泣きした。父は同情してくれなかった……。

親友のモニバも、やはりマララのライバルだった。ふたりはよちよち歩きの子どものころから知り合いで、ひとにいえないような秘密から、顔にぬるクリームやジャスティン・ビーバーの歌詞のことまで、なんでも話せるほど仲がよかった。それでも、いいあいや口げんかはしょっちゅうしていた。

それは、わたしたちがあまりにもよくにているからよ！
わたしが先にそういったじゃない……
いってないわ……

2 マララの決意

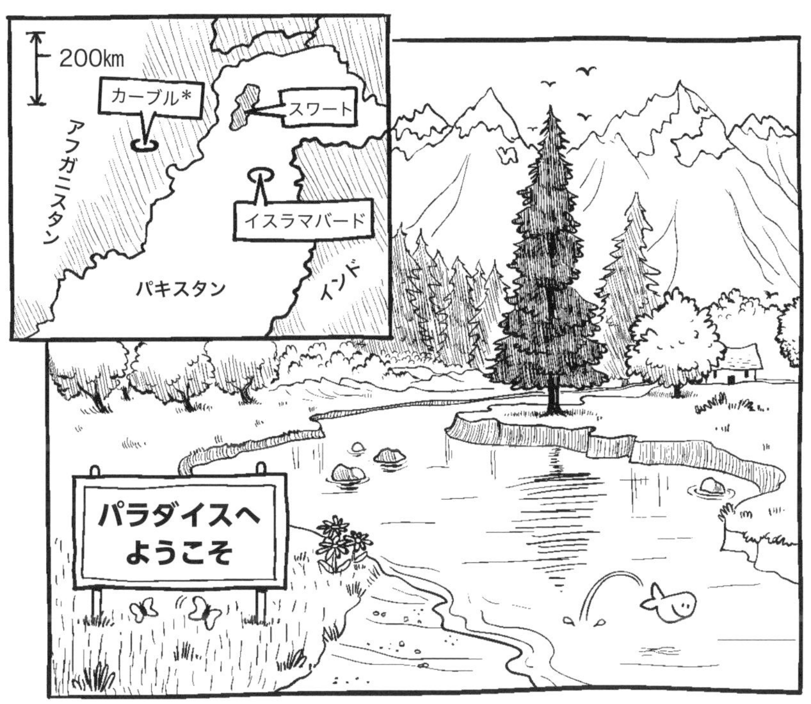

これは、スワート渓谷（マララが育ったパキスタンの地域）へきた観光客をむかえる看板だ。パラダイスとはうまい表現だ。スワートには、雪をいただいた山脈やかがやく湖があり、「アジアのスイス」と呼ばれている。

マララはこの地域に住めることがとてもうれしかった。家は、スワート渓谷にいだかれた小さな都市ミンゴーラにあるが、きれいないなかの景色にかこまれており、屋上からは山脈が見え、近くの果樹園で育つイチジク、モモ、アプリコットの香りがただよってくる。

学校が終わり、宿題をしなくてよいときは、いつも外へ出て、弟たちやほかの子どもたちとあたりをかけまわった。屋上でタコあげをしたり、道路でクリケットやホップスコッチ*をして遊んだりした。また、少し行くと古代の遺跡がいくつかあり、アドベンチャー遊園地よりおもしろくて、

＊カーブル……日本では「カブール」と表記されることも多い。
＊ホップスコッチ……片足や足を広げてマスの中をとぶ日本のケンケンパと同様の遊び。

マララと友人たちは何時間でもそこでかくれんぼをした。

だが、ときどきマララは遊びをぬけだし、おとなたちの話をこっそり聞いていた。女性たちはよくベランダに集まって、おしゃべりをしたり冗談をいいあったりした。男性たちは家の中ですわって、政治や人権の話をしていた。マララの興味を強くひきつけたのは、男性たちの会話だった。もちろん、いつも話の内容を理解できたわけではないが、男性たちの熱意は感じられた……。

アメリカは、同時多発テロ事件*の背後にいる組織、アルカイダと戦ってもらうために、パキスタンにばくだいな金を支払ったといいはっているんだ。
ばかなことを！
1セントも見てないぞ！
なんの話をしてるんだろう？

パシュトゥーン人に生まれたら、ずっとパシュトゥーン人

男性たちは地元の政治についても、よくいろいろなことを語っていた。マララとマララの家族とまわりに住む人たちは、ほとんどがパシュトゥーン人であり、そのことをほこりに思っていた。だが、パシュトゥーン人が苦しんでいる地域があった。同時多発テロ事件のあと、その事件に関わったものたちがパシュトゥーン人たちの中ににげこんだのだ。そのため、その地域は紛争地帯になってしまった。

＊同時多発テロ事件……2001年9月11日（火）の朝にイスラーム過激派国際テロ組織アルカイダによって行われたアメリカ合衆国に対するテロ攻撃。4機の旅客機がテロリストに乗っとられ、このうち2機はニューヨークのワールドトレードセンタービルに突入し、2つのビルは倒壊した。別の1機はワシントンの国防総省に突っこみ、さらにもう1機はペンシルベニア州で墜落した。

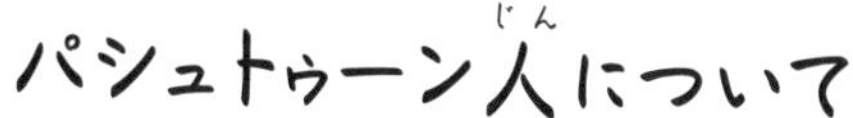

わたしたちパシュトゥーン人は、数千年も前からいるのよ。世界中に5千万人以上いるけれど、ほとんどがパシュトゥーン人の故国であるアフガニスタンとパキスタンに住んでいるわ。

パシュトゥーンワーレイのよい点

メールマスティヤー（もてなし）：パシュトゥーン人はみな、すべての客にもてなしの気持ちをしめさなければならない。

フットマッサージをしようか？
あなたがわたしの家にとまることがあれば、心をこめたもてなしを受けるわよ！

サバート（忠実）：
パシュトゥーン人は常に、友人、家族、部族のメンバーの味方をしなければならない。

ヘーガラ / シェーガラ（いたわり）：
パシュトゥーン人は自分のまわりの人、動物、環境を大切にしなければならない。

パシュトゥーンワーレイのあまりよくない点

ニャーウ・アウ・バダル（正義と報復）：パシュトゥーン人はどんな不正行為に対しても、報復しようとする。期限はない。もしなんらかの理由で、不正行為をした当人に報復できない場合は、その人に最も近い男性の血縁者が代わりに報いを受けなければならない。

山でのくらし

年に2回、マララの一家はミンゴーラをはなれ、バスに乗って山の上にあるシャングーラへ行く。マララの両親の出身地だ。そこでは、まだ拡大家族*でくらしており、マララはそこをおとずれるのが大好きだった。遊びまわれる小川や滝があり、いっしょに遊ぶいとこたちがたくさんいた。おじさんとおばさんはお金持ちではなかったが、いつも山ほどごちそうを用意してくれた——カレーとライス、ホウレンソウ、大きな厚切りのハニーケーキなどだ。

しかし、大きくなるにつれて、シャングーラのくらしはマララが思っていたほど、ものすごくよいわけではないことに気がついてきた。村のくらしは、特に女性たちにとっては大変なものだった。

立ちどまって、近親者以外の男性と話をしてはいけない。

あー！　話しかけてきた！
あの、これ落とし
ましたよ……

もちろん、読み書きを学ぶようにすすめられることはない。

ママ、この
くねくねした
ものは何？
あなたは、
気にしなくて
いいの！

ほとんどの女性が「パルダ」を守らなくてはならない。つまり、家を出るときには、顔をかくさなければならないということだ……。

＊拡大家族……親と、結婚した子どもの家族などが同居する家族形態。

パルダについて

- パルダの文字通りの意味は「ベール」や「スクリーン」だ。パキスタンでは、イスラーム教徒の女性はパルダを守っている。つまり、公共の場では顔をおおい、ときには全身をおおう。さらに、家では「ザナーナ」といって男性からへだてられた場所でくらす。

- パルダの思想は、クルアーン（イスラーム教の聖典）からきている。24章31節に、女性は家の外では「やむをえないもの以外は、体のどの部分も見せてはならない」とある。

- 女性が守るべきパルダは、国や地域によってちがう。

マララの母親は以前ニカーブを身に着けていた。
見かけからシャトルコック*と呼ばれることもある
目の部分をメッシュでおおう
青が多いが、白や黄土色などもある
全身をおおう衣装をその下に身に着けることもある
たいてい黒
ブルカ：頭から足の先まで、1枚の布でおおう。
ニカーブ：目だけを出して、顔をかくす。

＊シャトルコック……バドミントンで使用する羽根のこと。

パルダに対しては、いろいろな見方がある。

ふん！　女性を
コントロールしようと
してるだけじゃない。
わたしは気に入ってるわ。
男の人が見かけで判断しなく
なるもの。わたしの中身を
知ろうとしてくれるから。
パルダを守りたい女性は、そうすれば
いいと思うわ。でも、わたしはいやなの。
顔もわたし自身を表すものだから。

シャングーラなどの村では女性はまったく教育を受けさせてもらえない。トールペカイは娘が学ぶことを強く願ったのでマララは学校へ行ったが、シャングーラに住むマララのいとこの女の子たちは、だれも学校へ行かなかった。マララはどうしてなのかとても知りたかったので、おじさんたちに聞いてみた。

女の子を学校へやるのは、
とんでもない時間のむだづかいだ！

マララはおじさんたちが大好きだし尊敬もしていた。だが、その答えはマララをぞっとさせた。おじさんたちに、それはまちがいだということをなんとかわかってもらいたかったが、それはできなかった。男の子が年長の親族にいいかえすのは、とても失礼なことだと見なされている。では、女の子がいいかえすと、どうなるのか？　ただ完全に無視されるのだ！

マララはがまんして口をとざしていたが、父には不満をもらした。ジアウディンはもちろんマララの考えに同意して、マララのしたくないことは決してさせないと約束して、マララは「空を飛ぶ鳥のように自由だ」といった。だが同時に、アフガニスタンとの国境付近では、もっとずっとひどい状況だと教えてくれた。タリバンと呼ばれるグループがアフガニスタンを制圧したせいだという。

人前で笑ったとかマニキュアをしているとかいう、つまらない理由で女性を罰するんだ。
なんですって!?　スワートに住んでてよかったわ。

メールマスティヤー（もてなし）の実践

ミンゴーラでの話にもどると、学校がうまくいって、マララ一家は学校をはなれて、前より大きな家に住めるようになった。金持ちではなかったが、うれしいことに、ついにテレビを買うことができたのだ！

多くの家では、そのようなよゆうはなかった。ミンゴーラを見まわすと、どこもかしこも貧しさに苦しんでいた。貧しいということがどのようなものか、ジアウディンとトールペカイ自身も知っていたので、見て見ぬふりはできなかった。トールペカイは、地元の子どもたちが何も食べずに学校へ行くことがないように、外に食べ物を出しておいた。ジアウディンは、学費が払えない生徒のために無料で学べる場所を今ま

で100以上も提供してきた。ふたりはパシュトゥーン人のもてなしの精神をまじめに実践したので、その結果、マララの家はいつも助けを必要とする人たちでいっぱいだった。家の中にあまりにも多くの人がいるときなど、ジアウディンは家が寄宿舎のようだと冗談をいった。

ごみをあさる子どもたち

だが、新しい家はそれほど高級なわけではなかった。かなり大きなゴミ捨て場が近くにあったので、夏は特に、ものすごくくさかった。マララはいつも、できるだけそのゴミ捨て場には近よらないようにしていた。だが、8歳くらいのとき、ある晴れた午後、母親からじゃがいもの皮をすてにいくようにいわれた。くさった食べ物がひどいにおいを放っていたので、マララは息をとめていた。そのとき、自分と同じくらいの女の子がゴミをあさっているのに気がついた。金属の缶やびんのせん、ガラスのかけらや紙

切れなど、何か売れそうなものを集めていたのだ。女の子のかみの毛はもつれ、顔はどろだらけで、見るからにきたなかった。ところが、そこにいたのは、その子だけではなかった。あたりを見ると、10人以上の子どもたちがゴミをあさっていた。

ぞっとしたけれど、その女の子に、どうしてこんなことをしなければならなくなったのか、聞きたくてたまらなかった。でも、こわくて結局聞けなかった。

マララが父親に、あの子たちを無料の学校に呼んであげてとたのむと、ジアウディンは目になみだをためて、こういった。

あの子どもたちの家族は、子どもたちが毎日ゴミ捨て場からひろい集めてくるがらくたで、わずかなお金を得てくらしている。だから、学校が無料でも、子どもたちを学校へやることができないのだ。

マララはびっくりして、世の中の不公平さにいらだった。その夜、マララはねむれなかった。

サンジュの魔法のえんぴつ

次の日、マララはテレビを見るために、学校から家へ急いだ。特に、『シャカラカ・ブン・ブン』というテレビ番組に夢中だった。サンジュという男の子が魔法のえんぴつを持っていて、そのえんぴつでかいたものは、すべて本物になるという話だ。何年もの間、マララはそのえんぴつがほしいと思っていた。だが、その日の午後、サンジュが魔法のえんぴつを使って、次から次へと問題を解決するのを見ながら、ゴミ捨て場にいた女の子のことを考えつづけていた。そして、はっと気がついた。

魔法が世の中の不公平を解決してくれたりはしない。状況を変えたかったら、ひとつしか方法はない……。

3 マララ、怒る

2005年10月のある朝、マララが8歳のとき、いつものように教室で席についていると、つくえがはげしくゆれだした。何が起こったのか、すぐにわかった。

イスがゆかの上をすべって動きだし、生徒たちはゆれる教室から急いでにげだした。校庭へ出ると、いつも避難訓練で教わっていたとおりにした。だが、これは訓練ではない。みんな、パニックを起こさずにはいられなかった。ころんだ子もいれば、泣きだした子も少しいた。マララはなんとか冷静をたもっていたが、こわくてたまらなかった。

スワートは地理的に断層帯にあるため、今までも何度か地震が発生していた。だが、今回の地震は今までとちがった。もっと大きく、もっと強く、かつてないほどはげしかった。

「落ちついて。すぐにおさまりますよ」

先生が一生懸命、大きな声でさけんだ。

初めのうちは、先生のいうとおりに思えた。すぐに地面のゆれはおさまり、子どもたちはほっとして、なみだをぬぐうと、教室へもどっていった。だが、えんぴつを持ったとたん、また、かべとつくえがゆれだした。そのため、子どもたちは家へ帰されることになった。

余震で一晩中地面がゆれた。トールペカイは外ですごそうといいはった。

そうすれば、屋根が落ちてきても、ベッドにいる間に、うまったりしないだろうから。家族みんなで庭に集まって、元気を出すためにクルアーンをとなえながら、一晩中外ですごした。朝にはみんな、つかれきっていた。

地震の影響

ひどい地震だった。パキスタン史上、最悪の地震のひとつだ。マグニチュード7.6の巨大地震だった！　遠くはなれたインドのデリーやアフガニスタンのカーブルでさえ、ゆれを感じた。

震源地はムザファラバード付近で、100キロしかはなれていなかったが、どういうわけか、ミンゴーラはそれほど被害を受けなかった。だから、マララ一家はテレビを見て、初めて被害の大きさを知り、ショックを受けた。そして、被害者の数にどぎもをぬかれた。

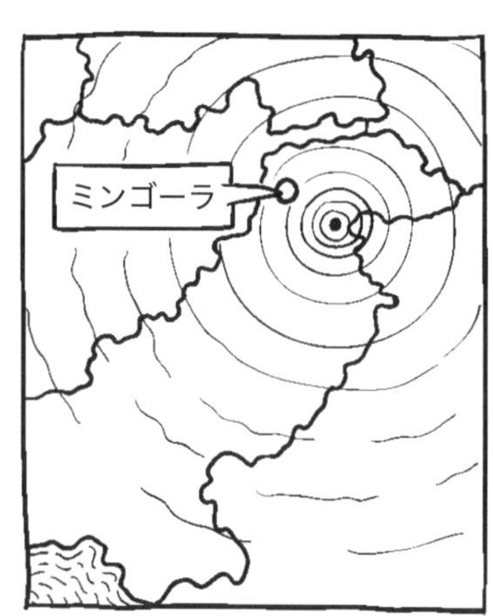

この24時間以内に7万5000人が亡くなり、1万1000人の子どもたちが孤児になりました。

マララ一家は、山にいる親せきから連絡がくるのを、不安な思いで待っていた。やっと知らせが届いたが、おそろしい内容だった。ジアウディンの出身地の小さな村シャングーラでは、その地区の聖職者の若い娘4人をふくむ、8人が命を落としていた。ジアウディンは何か手助けをしたくて、すぐに村にむかった。マララもいっしょに行きたいとたのんだが、だめだといわれた。あまりにも危険だからだ。

それから数日がのろのろとすぎていった。ようやくジアウディンがもどってきたが、ひどい状況だと教えてくれた。ジアウディンのきょうだいは、山からたくさんの大きな岩が自分たちにむかってすべり落ちてきて、何もかもを破壊していくのを、ふるえながら見ていることしかできなかったという。この世の終わりがきたのかと思ったそうだ。シャングーラでは、多くの人が命を落とし、何千もの建物がこなごなにくずれた。

多くの人がすぐにも助けを必要としていたので、マララ一家はすばやく行動した。食べ物や衣服や毛布やお金などの寄付をつのった。だがそれでも、どこもかしこも物がたりなかった。被害があまりにも広い範囲にわたっていたからだ。

神からの警告？

政府からの援助は、なかなかとどかなかった。道路や橋がこわれて、最も被害がひどかった地域の多くに行けなくなっていたからだ。だが、TNSM「預言者ムハンマドのシャリーア施行運動」*と名のる宗教グループがすぐさま現場にかけつけて、見のがされてしまいそうだった地域のすみ

＊シャリーアについては、P45参照。

ずみにまで手をさしのべてくれた。がれきをかたづけ、建物を修理し、先頭を切って祈りをささげ、孤児になった子どもたちの多くを引きとってくれた。

残念ながら、これはわなだった。TNSMには、あるたくらみがあった。かれらは、地震は神からの警告だと固く信じていて、そこに住む人たちが考えやくらし方を変えなければ、もっとおそろしいことが起こるとおどした。

地震は科学でかんたんに説明できる自然現象だとマララは知っていたので、ほかの人もそんなことは信じないだろうと思っていた。

だが、スワートには教育を受けていない人たちがいた。マララの親族もふくめて、多くの人がその言葉を信じておそれた。TNSMは、恐怖には人を支配する力があると知っていた。だから、恐怖心をうまく利用して、この地域を支配しようとしたのだ。実は、TNSMはパキスタン・タリバンとつながっていた！

タリバンについて

タリバンという名前が使われるようになったのは1994年よ。

旧ソビエト社会主義共和国連邦（旧ソ連）が行った軍事介入により、1979年にアフガニスタンで戦争が起こった。ソ連は1989年に撤退したが、新しい政府内に対立するグループがあり、平和を維持するのがむずかしかった。1994年、パシュトゥーン人の男性を中心とした「タリバン」と名のるグループが結成され、平和をもたらすことを約束したため、アフガニスタン人の多くが心から喜んでかれらをむかえた。しばらくの間は、確かに状況は前よりよくなった。

戦争が終わって、よかった！
1989
旧ソ連
アフガニスタン
イラン
パキスタン
インド
ところが、タリバンが考えていたのは、平和をもたらすことだけじゃなかったのよ。

これらの男たちは、伝統的なイスラーム教の学校であるマドラサで教育を受けていた。マドラサで教育を受けること自体は、ごく普通のことだった。ただ、この男たちが通ったマドラサでは、極端な思想をおしつけていた。

マドラサ

- マドラサは10世紀からあちこちにある。今では、パキスタンだけで25,000校もある！
- 女子も男子も、あらゆる年齢の生徒が、全日あるいは平日の数時間や休日にマドラサで学ぶことができる。マドラサでは、哲学、神学、アラビア語文法、イスラーム教の歴史のほか、クルアーンの節を朗読したり解釈したりする。
- マドラサは、たいていは平和な場所だが、ごく一部では、極端な思想、テロを誘発しかねない思想を教えていることが明らかになっている。

タリバンはシャリーア（イスラーム法）を使って、独自の正当性を持ちこんだ。シャリーアを、きびしい罰がともなう、極端な内容に解釈した。

シャリーア（イスラーム法）

「シャリーア」とは、文字通りには「道すじ」あるいは「水場にいたる道」という意味だ。シャリーアはイスラーム教徒に正しい生き方を教えるための法典だが、その内容は国、また人によっても、ちがう解釈ができる。

タリバンは、ほしいものを手にいれるためなら、どんなことでもする。建物を破壊し、土地を焼きはらい、じゃまをするものはだれでも殺す。

われわれにまかせれば、何もかも、もっとよくなる。
ぼくは信用しないぞ。
タリバンの指導者たちの言葉には説得力があったので、なんとか状況を変えたいと願っていた、何千人ものごくふつうのアフガニスタンのイスラーム教徒たちが、その仲間になった。そして、すぐにそのグループは、アフガニスタンの広い地域を支配するほどの力をえた。

2001年にタリバンはアフガニスタンから追いはらわれたが、指導者の多くは国境を越えてパキスタンににげこんだ。

そして、TNSMのような小さなグループがいくつか生まれた。

2001年のアフガニスタン

▨ タリバンの支配地域

これらのグループが手をくんで、パキスタン・タリバン運動がつくられたの。

ラジオ・ムッラー

地震の数か月後、マララが９歳のとき、（違法の）新しいラジオ局が放送を開始した。28歳のモウラーナー・ファズルッラーが司会をつとめ、１日に２回放送された。ファズルッラーは、毎日の祈りの大切さをかたり、クルアーンの節の解釈をした。夜の放送は、トールペカイのような主婦たちに特に人気があった。トールペカイはファズルッラーのことを、かしこくてカリスマ性がありそうだと思った。女性たちに直接話しかけたいからと、ファズルッラーが男性のリスナーに部屋を出るようにいうのを女性たちは気に入っていた。さらにファズルッラーは、彼のいう新しいシャリーアでは、女性たちに特別の権利をあたえると約束していた。

だが、ファズルッラーが女性たちから気にいられようとしたのには、ずるがしこい理由があった。パキスタンでは、ほとんどの女性が教育を受けておらず、文字の読み書きができないので、新聞を読むことができなかった。だから、多くの女性にとって、ラジオ・ムッラーだけが外の世界とつながる窓だった。ファズルッラーはそのことを知っていた。

そこで、女性たちの信頼をえたと確信すると、数か月のうちに態度を変えた。同時に、メッセージも変わってきた。急に、何を着なければならない、何をするべきで、何をしてはいけないというようになった。最も気になることは、ファズルッラーの考えが、どうもタリバンの考えに近いようだということだ。

とんでもないダンスをやめよ、ばちあたりな音楽を聞くな、
罪深い映画を見るな。いいか、行いを改めないと、
みなを罰するために、また神が地震を起こすぞ。
？
えー!?

マララが、地震は神の罰などではないと何度も何度も説明したが、トールペカイと友人たちはおびえた。ファズルッラーの言葉はとても説得力があるので、教養のある人たちの間にもファンがいた。ホシュハール・スクールの先生たちの中にさえ、ファズルッラーを支持するものがいた。ジアウディンはぞっとした。みんながファズルッラーの何を見て、よいと思うのか理解できなかった。ファズルッラーは自分をすぐれた学者だといいはったが、本当は、高校さえ終えていなかった。

こまったことに、パキスタンの政治制度はどうにかして変える必要があり、ファズルッラーはリスナーの多くに、自分こそが問題を解決できるものだと信じこませるのに成功していた。

学校の校庭では、ラジオ・ムッラーの、火のようにはげしい放送のことがよく話題になった。マララはそれがすごくいやだった。

ファズルッラー

ファズルッラーはTNSMの指導者の娘と結婚した。そして、妻の父親が刑務所に入れられた2002年に、そのあとを受けついだ。妻の父親の書いた本を読んで、イスラーム学者と名のることにした。

- ファズルッラーは男性の支持者たちに、自分と同じような外見、つまり、長いひげをはやし黒いターバンをまくように求めた。また、ラジオで説教をする最初の聖職者のひとりになった。

- 多くの人が政府に不信感をいだくようになっていることを知っていたので、自分は悪政に苦しむ民衆を助ける「ロビン・フッド」であるとうったえ、ふつうのイスラーム教徒に権力と威厳をもどそうとした。だが、権力をにぎると、急激に態度が変わった。

- さまざまな過激派グループが手を組んで連合すると、ファズルッラーはいっきに地位が上がり、スワート・タリバンのトップになった。

ある日ファズルッラーが、マララにはどうしても無視できないようなことをいった。

イスラーム教では、女子のための学校は禁じられている。

頭にきた！　ファズルッラーに、わたしやわたしの友だちが学校へ行くのをやめさせる権利なんて、ないわよ！

次の日マララは、クラスメイトたちも同じように怒っているだろうと思い、足早に学校へむかった。怒っているクラスメイトもたくさんいたが、ほとんどの生徒はただおびえていた。

その後スワート中で、学校へ通うのをやめる女の子たちがふえてきた。ファズルッラーによれば、学校をやめた女の子たちは「よいイスラーム教徒」で、ラジオ番組でその子たちの名前のリストを読みあげるという「名誉」をあたえた。その一方、まだ学校に通いつづけている女の子たちのことをひどく不快に思い、家畜になぞらえて、「ウシ」だの「ヒツジ」だのと呼んで、ばかにしてはずかしめた。

数か月のうちに、ファズルッラーの説教はどんどん過激になってきた。

子どもたちにワクチンを打つな！
理容師たち、客を「西洋風」の髪形にしたら、ただではすまないぞ！
テレビを見ることは罪だ！
窓からラジオを投げすてたくなったわ！

状況はますます悪くなってきた。ファズルッラーの支持者たちが町をパトロールして、禁止されているテレビの音が聞こえてこないか確かめるようになった。テレビの音を聞きつけると、その家におしいって、テレビをこなごなに破壊した！

人々はこわがって、テレビ、DVD、CDを町の広場に持っていって、燃やすようになった。巨大なたき火がたかれた。

テレビを持ってないが、
暖まろうと思って
ここにいるんだ。
こんなの、クルアーン
にはまったく書かれて
いないわよ。

マララ一家はそれにはしたがわず、テレビを手放そうとはしなかったが、戸だなにしまって、音量をかなりさげて見た。

ひどいくらしだったにもかかわらず、ファズルッラーが援助をもとめると、人々は喜んでそれに応じた。新しいマドラサを建てたいというと、女性のファンたちがお金や金をどんどんあたえた。それまでずっとためてきた財産をすべてわたしたものさえいた！　その一方、国民のために何もしない政府にうんざりしていた男性の多くは、それまでのシャリーアを受けつぎながら新しいシャリーアを定めるという、ファズルッラーの意欲的な計画に期待をふくらませていた。そして、ボランティアでマドラサを建てる手伝いをしたいと多くのものが申しでた。だが、ファズルッラーはそこを自分の本拠地として使う計画をたてていた。

ゴーストタウン

ミンゴーラは変わりつつあった。よくない方にだ。ファズルッラーがさまざまなことを人々に約束していたが、新しい規則は男性より女性にとってはるかにひどいものだった。人々はこわがってCDやDVDを買わなくなっていたので、音楽や家電の店はすぐに閉店してしまった。それから、市場に「女性立ち入り禁止」と書かれた大きな旗がかかげられた。かつてはにぎわっていた市場から、あっというまに人がいなくなり、今ではファズルッラーの支持者たちがマシンガンを持ち、小型トラックの荷台に乗って町をパトロールしている。

学校では、マララのクラスにもだんだん空席がふえてきた。授業はまだ続いていたが、今では女の子に教えるのをこばむ先生もでてきた。そうして、学校には少ししか生徒がいなくなってしまったので、父ジアウディンはあまりお金をかせげなくなっていた。

マララにとっては人生のどん底だった。こんなにも多くの人がファズルッラーとその仲間にだまされてしまったなんて……。

みんなが本当にファズルッラーのことを信じたのか、
それとも、ただおそれているだけだったのか、
わたしにはまったくわからなかったわ。

血まみれの広場

ファズルッラーのラジオ・ムッラーが放送されるようになって1年ほどがたったころ、番組は新しい特集を始めた。タリバンを非難する人々の名前を読みあげるようになった。

このメッセージはアリー*にも届いているんだぞ
……どうして、わたしにさからうのだ！

その結果はおそろしいものだった。「犯罪者」とされた多くのものが町の広場に引きずっていかれ、ムチで打たれたり殺されたりした。その遺体は見せしめとして、そこに放置された。これらの人々は思ったことをいっただけなのに、タリバンには犯罪とされた！

広場であまりにも多くの死と暴力が起きたので、人々はそこを「血まみれの広場」と呼ぶようになった。

マララは毎朝目をさますと、愛する自分の町で起きていることを思いだし、具合が悪くなった。状況は少しもよくなりそうになかった。マララの10歳の誕生日が近づいたある日、ジアウディンは学校の門にメモがはりつけてあるのを見つけた。

＊アリー……ここでは、イスラーム教においてムハンマドの後継者とされている正統カリフ第4代目アリーのことを指していると考えられる。

これがタリバンからだというのは、火を見るより明らかだった。

校長へ

おまえがやっている学校は西洋風で異教徒的だ！　女子を教育しているし、イスラームらしくない制服を着せている。すぐにやめないと、ひどい目にあって、子どもたちが悲しみ、おまえのために泣くことになるぞ。

マララは気持ちが悪くなった。だが、ジアウディンはタリバンに屈しないと決意していた。タリバンにいどむように、返事を地元の新聞にのせた。

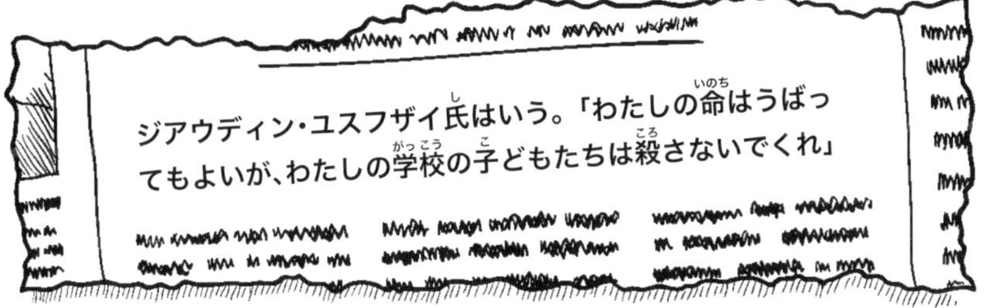
ジアウディン・ユスフザイ氏はいう。「わたしの命はうばってもよいが、わたしの学校の子どもたちは殺さないでくれ」

今や家族みんなが、ジアウディンが殺されるのではないかと、おそろしさにふるえていた。だが同時に、マララは深く感動もしていた。恐怖が支配している世界で、父親は自分が正しいと信じるものを守ろうとしたのだ。マララは大きくなったら、父親の半分でもいいから勇敢になりたいと願った。

町の大混乱

ジアウディンにメモを残した数日後、タリバンはスワートの古代遺跡や記念建造物を攻撃しはじめた。たった２、３週間で、何十もの像や墓を爆破し、博物館や美術館を破壊し、あっというまに数千年の歴史を消しさった。

それだけではなかった。スワートにはもう観光客にきてほしくないというように、冬のスキーシーズンに使われていたスキーリフトやホテルを爆破しはじめた。そして、村全体と警察署をうばい、次々とタリバンの白と黒の旗をはっていった。やがて、警察は仕事を続けるのがこわくなり、もうタリバンにねらわれることがないように、新聞で辞職したことを発表して、おおぜいがやめていった。取りしまるべき警察の力はなくなり、地元の政府はまとまりがなく、まさにタリバンの望んだとおりになった。タリバンのやりたいほうだいになり、スワートの人々は抵抗することもできなくなっていた。

すべての人が魔法にかかってしまったかのようだった！　人々はファズルッラーのうそにすっかりだまされて、その考えを変えることはできそうもなかった。ファズルッラーはラジオ放送をのっとって、多数の支持者を得ている。10歳の女の子と学校の先生をしている父親が、かなうはずはなかった。

家では、いつも見ていたテレビもなく、せまい庭でしか遊べないので、マララは退屈で頭がおかしくなりそうだった。ボードゲームさえ禁止された！

状況はますます悪化していった。パキスタン中が不安定になり、ふだんは静かで秩序のある首都のイスラマバードは混乱していた。タリバンはまだイスラマバードまできていなかったが、別の過激派グループが入りこんでいた。あるグループが、イスラマバードの中央にあるモスク*、ラール・マスジドを足がかりにして政府をたおし、シャリーア（P45参照）をおしつける計画をたてていた。2007年7月、そのグループの軍隊がラール・マスジドを取りかこんで攻撃を始めた。攻撃は8日間続き、終わったときには、どちらの側にも約100人の死者が出ていた。

ファズルッラーもタリバンもその事件とはなんの関わりもなかったが、次の段階へ進むために、その流血事件を利用した。2007年7月12日（マララの10歳の誕生日）、ファズルッラーは怒りくるった調子で、パキスタン政府に対してラジオで公式に戦争を宣言した。

＊モスク……イスラーム教の礼拝堂。

ひとすじの光

何もかもが完全にうしなわれたわけではなかった。助けてくれるかもしれない人物がひとりいる……ファズルッラーやタリバンと戦えるほど勇敢な人が。９年もの間、国をはなれているが、うわさによるとこの秋にもどってくる予定だということだ。そして、パキスタンの首相になるための選挙運動をするらしい。その人の名前はベーナズィール・ブットー。

そう、何年も前に、大学生だったジアウディンに大きな影響をあたえた政治家、あのベーナズィール・ブットーだ。マララはわくわくしていた。いつもジアウディンからベーナズィールの話を聞いて育ったし、その話が大好きだった。特に、タリバンをたおせるかもしれない人物が女性だという点が……。

ベーナズィール・ブットー

- ベーナズィール・ブットーはすでに2回もパキスタンの首相になっている。マララが生まれる前の1980年代と1990年代のことだ。
- 父ズルフィカール・アリー・ブットーが設立したパキスタン人民党を受けつぎ、父親の仕事を続けると誓った。

わたしは決して
あきらめない！

- 人々はこの女性の首相が大好きで、公の場に姿をあらわすと、非常に多くの人が集まった。その一方、政府はベーナズィールをあまり気にいっていなかった。ベーナズィールは犯罪、貧困、政界の不正に取りくもうとした。さらに、女性の権利のためにも戦ったが、政府はまったく改革を認めなかった。

ベーナズィールは在任期間中に、大変すばらしいことをいくつか成しとげた。女性の裁判官を指名し、女性の銀行を設立できるようにし、女性だけの警察署を開いた。

女性はほとんど家にとじこめられていたことを考えると、これはとても大きな前進だわ。

ベーナズィールは汚職を告発されて1996年に首相を解任され、1998年にパキスタンを出ていった。2007年、ベーナズィールにかけられていた告訴が取りさげられ、その年の10月（ファズルッラーが政府に宣戦布告した3か月後）に、パキスタンにもどると熱狂的な歓迎を受けた。ベーナズィールがパキスタンの元首都カラーチー*の通りをオープンバスで進むと、何十万人ものファンが姿を見せ、声援を送って歓迎した。タリバンの支配を受けていない地域に住む何百万もの人々は、テレビで好きなだけそのニュースを見ることができた。だが、1500キロ以上離れたミンゴーラでは、マララとその家族はテレビの前に身をよせあい、こっそり見なければならなかった。

こんなふうになりたい！
だれかくるわよ！

ムシャラフ将軍と軍主導の政府は、国

＊カラーチー……日本では「カラチ」と表記されることも多い。

民にまったく人気がなかった。国民の人権を尊重せず、特に女性とイスラーム教徒ではない人たちを差別するので、とても評判が悪かった。このような状況のせいで、タリバンのようなグループが立ちあがりやすくなっていた。ベーナズィールがもどってくれば、首相に立候補して大勝利をおさめ、ファズルッラーやタリバンの支持者たちを追いはらってくれるだろうという期待が持てた。

しかし、ベーナズィールがもどってきた喜びや興奮も長くは続かなかった。パレードが始まってわずか数時間後に、大きな爆発が起きたのだ！バスのドアは完全にふっとび、窓はこなごなになった。幸いなことに、ベーナズィールはそのとき、鋼鉄板をはった安全な区画で休んでいた！爆発があと数分早く起きていたら、ベーナズィールもまきこまれていただろう。この爆発で罪のない150人以上がなくなった。パキスタン史上、最大の爆発だった。

一般の人々はショックを受け、ベーナズィールやその政策が好きだったわけではない人々まで、怒って国中で抗議行動を起こした。政府がベーナズィールをきちんと保護しなかったことに腹をたて、犯人はだれなのかを明らかにせよと強く求めた——タリバンなのか、(9月11日のアメリカ同時多発テロ事件を起こした) アルカイダなのか、実は政府なのかと。

4 マララとタリバン

爆発事件から一週間ほどがたったとき、軍隊がぞくぞくとスワートに入ってきた。タリバンがスワートを支配しようとしていることに、政府がようやく気がついたのだ。3000人の兵士を送ってきて、タリバンを追いだそうとした。ジープが大きな音をたてて通りを進み、たくさんのヘリコプターが空を飛び、おかしやテニスボールを下にいる子どもたちのために落とした。マララと弟たちは、家の近くを走りまわって、だれが一番たくさんおかしを集められるか競争した。町に軍隊がやってきたからには、ファズルッラーとタリバンはすぐにいなくなるだろうと思った。

その数日後の2007年11月、外出禁止令が出された。マララ一家は外出禁止令が何かわからなかったので、となりの家の人に（かべの穴を通して）その意味を教えてもらわなければならなかった。そして、これから24時間、家の中にとどまっていなければならないのだと知った。

その理由はすぐにわかった。その夜、軍隊がタリバンを追いはらおうとしたので、スワートは戦争区域になった。マララの部屋は白い光でいっぱいになり、かべと天井がゆれた。爆弾や銃撃の音がスワート中になりひびいていた。こわくなって、マララはベッドからとびだし、両親と弟といっしょに身をよせあって夜をすごした。トランプでつくった家のように、まわりのかべが今にもくずれおちてくるような気がした。

次の日、ミンゴーラはぶきみなほど静まりかえっていた。ジアウディンがようすを見に外へ出ていったが、悪い知らせを持ってもどってきた。軍隊が攻撃をしかけても、タリバンはしりぞかなかった。タリバンをスワートから追いはらうには、ひと晩、爆弾で攻撃するだけではだめだったのだ。外出禁止令は延期され、軍隊はさらに多くの兵士を呼びよせた。

それから数週間、マララは毎晩、両親の寝室のゆかでまるくなってねた。ベッドに5人ねるのはむりだからだ。弟のアタルは、バーン、ガラガラという音がひびいている中でも、いびきをかいてねていた。だが、マララとホシュハールはなかなかねつけなかったので、いつもその時間を楽しくすごす方法を考えだしていた。

ときどき、マララは耳せんをして、自分がどこか別の場所にいると思いこもうとした。ファズルッラーもタリバンもいないパキスタンのどこかに。

大変なできごと！

2007年11月24日、ベーナズィール・ブットーは次の1月にある選挙の立候補届出用紙を提出した。自分の政党の今後の政策をくわしく発表したところだった。「5つのE」という政策に力をそそぎたいとのことだ。5つのEとは、雇用 (Employment)、教育 (Education)、エネルギー (Energy)、環境 (Environment)、平等 (Equality) のことだ。1月はまだまだずっと先のことのように思えたが、マララにとっては希望の光だった。

2007年12月27日、マララ一家はテレビの前に集まっていた (軍隊が町にいるので、また大っぴらにテレビを見てもだいじょうぶだろうと思った)。ベーナズィールがミンゴーラの南145キロのところにあるラーワルピンディーでスピーチをしていた。支持者たちの大きな声援にこたえて、「過激派の力に打ちかつ」と断言していた。

スピーチを終えて、歓声をあげる聴衆たちに手をふっていた。そのとき、おそろしいことが起きた。銃声が聞こえ、ベーナズィールの姿が突然消えた。

ベーナズィールが銃撃を受け、それからすぐに、ベーナズィールが乗っていた車のすぐ横で、自爆テロが起きたのだ！

ベーナズィールは即死した。

マララは目の前でそれを見てしまい、ショックで頭が真っ白になった。ベーナズィールはたったひとつの大きな希望だったのに、それがこんなふうに消えてしまうなんて。

パシュトゥーンの決まりでは、女性に対するいかなる暴力もきびしく禁じられている。それなのに、タリバンはおおぜいの人の前でベーナズィールを攻撃した！　国中の人がショックを受けた。タリバンの行う悪事には限度がないのだろうか？　ベーナズィールをしたう人々はなげき悲しんだ。だが、マララは一生懸命考えた。もう、こわがるのはうんざりだ。このとき、マララはたった10歳だったが、決心することはできた。ベーナズィールを殺した悪に立ちむかおうと、ひそかに自分にちかった。

どんな危険があろうと、自分が信じるもののために立ちあがるわ。

冷静に続ける

しばらくの間、マララはいつもどおりの生活を続けようとせいいっぱい努力した。だが、それは口でいうほどかんたんなことではなかった。軍隊のヘリコプターがしょっちゅう学校の上空を飛びまわり、先生の声をかき消した。

マララは11歳になり、軍隊とタリバンの戦いは1年半にもおよんでいた。モニバとともにホシュハール中学校*に進学し、新しい科目である数学、化学、物理が好きになった。いつの日か医者か発明家になろうという夢まで思いえがいていた。

だが、マララがぞっとするニュースを聞いたのもこのころだった。スワートにあるマッタ小学校が爆発でこなごなになり、ファズルッラーとその部下たちが犯行声明を出していた。

ありがたいことに、けがをしたものはいなかったが、学校がねらわれることが多くなってきていた。軍隊はまだタリバンに勝てていなかったので、通りをパトロールすることはなくなっていても、タリバンはスワートで強大な影響力を持っていた。まもなく、スワートで400以上の学校が破壊された。そのメッセージは明らかだった。女子生徒を受けいれている学校だ

＊中学校は11歳から3年間。パキスタンの教育制度は、小学校5年、中学校3年、準高等学校と高等学校各2年の5-3-2-2制となっている。

けを攻撃しているのだから。父ジアウディンが新聞記事をのせたあと、自分たちの学校もタリバンの攻撃リストにのったにちがいないとマララは確信していた。マララが父親に、タリバンはなぜ女子教育にこれほど反対するのかとたずねると、意外な答えが返ってきた。「タリバンはペンの力をおそれているのだ！」と父親はいった。つまり、教育は人々に力をあたえる――疑問に思う力、ものごとにいどむ力、自分が信じるもののために立ちあがる力を。

女性は人口の約半分をしめているが、そのうちの多くが教育を受けていない。教育がなければ、ファズルッラーは多くの人を思いどおりにあやつることができる。教育があると、ファズルッラーのずるがしこいトリックはあまり効果をはっきしなくなるのだ。

マララ、チャンスをつかむ

マララはしばらくあまり父親に会えなかった。父親がマスコミの人と会ったり話をしたりするのにいそがしかったからだ。地元政府は住民のために立ちあがってくれそうもなかったので、勇敢な男性たちが団結してファズルッラーに対抗するための集会を組織した。スワート・コウミー・ジルガだ。ジアウディンは自分からすすんで広報担当を引きうけた。「だまっていたら、存在する権利さえうしなう」と、ジアウディンはマララにいった。ジアウディンは大変な危険にさらされることになるが、マララはいつも父親を応援していた。

マララとマララのクラスメイトたちは、何か役にたてることはないかと考えていたが、先生たちのひとりであるマルヤム先生がとても力になってくれた。マルヤム先生はかしこくて、おもしろかった。マララは出会った瞬間から、マルヤム先生を尊敬していた。先生は大学に通ったし、収入があるので、生きていくのに男性にたよる必要がないことを、マララは特にすばらしいと思っていた。

マルヤム先生は、女の子たちがそれぞれ、自分にとって学校がどれほど大切なものであるかについてスピーチをする集会の準備を手伝ってくれた。

マララは小さなときから鏡の前でスピーチの練習をしていたし、定期的に授業でプレゼンをしていた。だが、このスピーチは少しちがうものだった。学内の人たちにむかって話すだけではなく、地元のテレビ局のスタッフが録画をしにくるのだ！

モニバのすばらしいスピーチを、マララはすごいと思いながら見ていた。次は自分の番だ。緊張で体がふるえる中、マイクに近づいて行った。

しくじるわけにはいかないのよ、多くの人が見ているんだから。

マララは自分に強くいいきかせた。

大きく息をすった。父ジアウディンが若いころそうだったように、スピーチを始めると、緊張がとけて消えていった。そして、スピーチをとても楽しんでいた。スピーチが終わると残念に感じたくらいだ！

父ジアウディンも感動し、さまざまな計画が心にうかんだ。そして、マララも知らないうちに、スワートのある北西辺境州＊（当時）で最も大きな都市ペシャーワルの記者クラブで、おおぜいのジャーナリストの前でスピーチをするようジアウディンが手配していた。ジャーナリストたちは11歳の女の子の話を聞いてくれるのだろうか？

記者クラブにつくと、ぎゅうぎゅうづめに人がいた。だが、テレビカメラに収められることに気がついても、マララは逃げだしたりしなかった。真っすぐカメラを見つめ、怒りに燃える目で、直接ファズルッラーにむかって話しはじめた。

＊北西辺境州……パキスタン北西端の州。アフガニスタンと国境を接する。州都はペシャーワル。2010年に、北西辺境州からカイバル・パクトゥンクワ州に名称が変更された。

いったいなぜ、タリバンはわたしが教育を受ける基本的な権利をうばおうとするのですか？あなたがたは、わたしが学校へ行けないようにすることはできるかもしれません。でも、わたしが学ぶことをやめさせることはできません。
わたしの娘だ！

マララは怒りのあまり、恐怖を忘れていた。だが実のところ、ファズルッラーとその支持者たちを非難したことで、大変な危険をおうことになった。

その後、テレビやラジオのジャーナリストたちが列をなしてマララにインタビューしにきた。ジャーナリストたちは、それだけでタリバンのターゲットになりやすいので、タリバンに目をつけられるような報道はあまりしたくなかった。だが、マララはとても勇敢だったので、ジャーナリストたちがあえていわないでおいたことまで語った。そこでジャーナリストたちは、マララの言葉を引用したという形で報道するチャンスにとびついた。

マララは危険にさらされるかもしれないという忠告を受けつけなかった。女子が学ぶ権利のほうがずっと大切だったからだ。それにいくらタリバンでも、子どもをターゲットにするほど見苦しいことはしないだろう。

本当に？

ミンゴーラの混乱

その間にも、タリバンは精力的に活動していた。軍隊がタリバンをおさえようとしていたが、タリバンは発電所やガスのパイプラインを爆破して、一般家庭に電気やガスの供給がとだえるようにした。ケーブルテレビのチャンネルまでとめた。それまでテレビを手放さずにいた人々も、もうほとんどテレビを見ることができなくなっていた。

軍隊の努力にもかかわらず、2008年の終わりまでには、スワートのかなりの地域がタリバンの支配下になっていた。いなかも危険になり、家からにげてきた親せきたちで、マララの小さな家はいっぱいになった。ぎゅうぎゅうづめでうるさくなり、ほとんど何もできないため、マララと弟のホシュハールは、絶えずいいあらそいをした。

その一方、外はいたるところに死がみちていた。子どもが遊ぶゲームにまでしのびこんでいた。「警官とどろぼう」ごっこが「軍隊とタリバン」ごっこになり、弟のアタルは心配になるほど、庭に穴をほって墓をつくる遊びばかりするようになった。

マララは平和と静けさを求めていたが、まったくどこにも行けずにいた。日がしずむと、スワートの人々は家の中にとじこめられた。

ミンゴーラの「血まみれの広場」には、あいかわらず死体が積みかさなっている。

タリバンは罪のない人々を殺しつづけていながら、どうしてわたしたちに「よきムスリム」になれと求められるの？

多くの人がファズルッラーの考えに賛成していなかったが、口に出していえるほど勇敢なものはあまりいなかった。地元で最も高位の役人のひとりである治安判事でさえも、今ではタリバンの会合に出席している。もはや、人々がたよれる相手はいなかった。

イスラームの5つの柱

イスラーム教徒はつねに、まず信仰を求められる。だが、クルアーンは古代アラビア語の方言で書かれているため、その教えはひとによってちがう解釈をされている。ただし次の５つの規則については、ほとんどのイスラーム教徒が同意している。

イスラームの５つの柱

イスラーム教徒は次のことを求められる：

- ゆいいつの神アッラーと預言者ムハンマドを信じる。
- １日に５回、サウジアラビアのメッカにむかって礼拝をする。そこには聖モスクにかこまれたカアバ神殿があり、イスラーム教徒の最高の聖地と考えられている。
- 恵まれない人々に自分の財産の一部をほどこす。
- 聖なるラマダン（イスラーム暦の第9月）の１か月、日の出から日の入りまで断食する。昼間は何も食べないという意味だ。だが、日がしずむと、すばらしいごちそうを食べる。
- 一生に１度はメッカのカアバ神殿へ巡礼*の旅をして、カアバ神殿のまわりを７回まわる。2017年には、1700万人のイスラーム教徒が巡礼をした！

正しい髪形のことや、ダンスをしたり音楽を聞いたりするのを禁じることなんて、どこにも書いてないわよ。
メッカ
あと、ちょっと？

＊巡礼……宗教上重要な土地や建造物のある場所を、信者が訪ねること。

ついに、マララが何か月もおそれていたことが現実になった。ジアウディンの名前がラジオ・ムッラーで読みあげられたのだ。ジアウディンは正式にタリバンの敵になった。マララはショックを受け、どれほどおそれたことか。毎晩ねる前に、家中のドアと門にきちんとかぎをかけたことを２回確かめ、神に父を守ってくださいと祈った。

永遠に学校禁止？

2008年の終わりには、タリバンはいたるところにいた。今やパキスタン北西辺境州のほぼ全域を完全に支配していた（８万平方キロメートル近くにもなる広さだ！）。その上、12月になると、ファズルッラーはそれまでで最もばかげたことをいいだした。

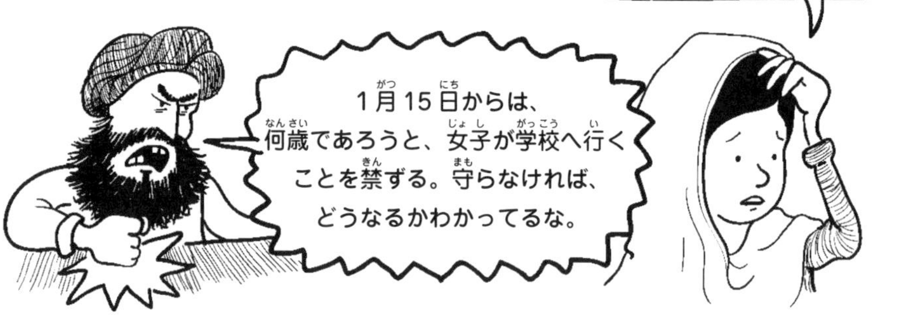

1月15日からは、何歳であろうと、女子が学校へ行くことを禁ずる。守らなければ、どうなるかわかってるな。
きっと、冗談をいってるんだわ！

だが、ファズルッラーは本気だった。

マララのクラスは、すでに27人からたった10人にへっていたが、これでジアウディンは、学校を完全にしめることを決めた。

5　マララの言葉が世界中に広がる

ようやく、世界中のマスコミがパキスタンで起こっていることに気づきはじめた。だが、戦況についての報道はたくさんあったが、タリバンが一般の人々にたいしてどんな影響をあたえているかに興味があるジャーナリストはあまりいないようだった。

しかし、女子に学校が禁止されたニュースがBBCで放送されると、アブドゥル・ハイ・カーカルというラジオのレポーターがジアウディンのところにきて、BBCのウェブサイトのために文章を書いてくれる生徒がだれかいないかとたずねてきた。レポーターは、タリバンの支配下での生活について、名前をかくして書いた日記がほしいといった。ジアウディンが生徒たちに聞くと、ひとりの勇敢な生徒が申しでてくれた。ところが、次の日には、その父親が学校にどなりこんできた。

娘が殺されてしまう！
とんでもない！

ほかの女の子たちはこわがって、受けてくれなかった。だが、マララはちがった。世界中に、ここで何が起きているのかを伝えるチャンスだ。マララには、このチャンスをのがすことはできなかった。

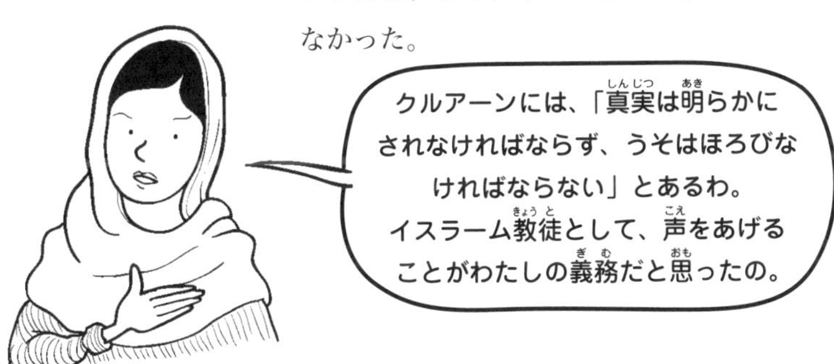

クルアーンには、「真実は明らかにされなければならず、うそはほろびなければならない」とあるわ。
イスラーム教徒として、声をあげることがわたしの義務だと思ったの。

グルマカイの日記

最初にするべきことは、日記を書くときのペンネームを考えることだった。ハイ・カーカルにも助けてもらって、「グルマカイ*」という名前に決めた。ウルドゥー語でヤグルマギクという花のことだが、パシュトゥーン人の民話に出てくるヒロインの名前でもある。クルアーンを引用して、おとなたちに戦争はよくないと教えた少女だ。マララは、自分の日記で同じことができたらと願っていた。

だが、マララはどう始めたらよいかわからなかった。個人的な日記をつけたことさえなかったし、この日記はだれでも読むことができるものになるのだ。そこで、ハイ・カーカルが毎週マララに電話をかけてインタビューをして、マララが話したことをハイ・カーカルが文章にした。そして、それをマララに送ってチェックしてもらったものをウェブサイトにのせた。

マララの最初の日記がのったのは2009年1月初めで、タイトルは「わたしはおびえている」だった。数日のうちに、ミンゴーラ中がその話題でもちきりになった。マララのクラスメイトたちは、女子生徒のだれがそれを書いているのかさぐっていた。

マララ、この日記、だれが書いてるんだと思う？
さあ、全然わからないわ

ニューヨーク・タイムズのジャーナリストがミンゴーラにきて、女子が学校へ行くことを禁止される直前の状況のドキュメンタリー映画をつくりたいといってきた。校長のジアウディンを中心としたものにする予定だが、

＊グルマカイ……本来の音は「グルマケイ」が近いが、日本では一般に「グルマカイ」と報道されてきたため、本書でもこれに合わせた。

あの日記の書き手にも出演してもらえないだろうかと監督はたずねてきた。それが状況をまったくちがうものにした。

グルマカイの日記はだれが書いたかわからないが、ドキュメンタリー映画ではそうはいかないだろう。おどろいたことに、マララはその危険を知りながら、すぐに引きうけた。ここで何が起きているのかを世界に伝えられる、日記よりもさらに大きなチャンスだ。マララには、そのチャンスをのがすことなどできなかった。レポーターとカメラマンが到着するころには、映画の中心はまったくちがうものに変わっていた。今やマララはスターであり、朝の祈りをとなえるところから夜に歯をみがくところまで、映画は1日中マララを追いつづけた！　監督はみんなに、できるだけいつもどおりにしていてくれといったが、ほとんど不可能だった。

学校禁止が数日後にせまったある日、マララは心がみだれ、あるとき泣きだしてしまった。最初ははずかしいと思った。何千人もの人に見られてしまう！　だが、しばらくして、これこそ、人々に見てもらいたいことだと気がついた。マララのなみだを見れば、女の子たちにとって、学ぶことがどれほど大切なものか、人々が理解してくれるだろう。

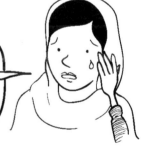

タリバンはわたしが学ぶのを止めることはできません。家だろうと、学校だろうと、ほかのどんな場所だろうと、わたしは学びつづけます。世界中へお願いです。わたしたちの学校を守ってください。わたしたちのパキスタンを守ってください。わたしたちのスワートを守ってください。

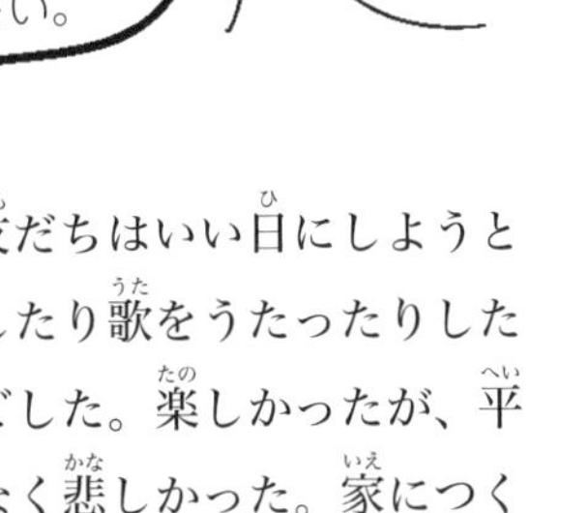

2009年1月14日、学校最後の日、マララと友だちはいい日にしようと約束しあっていた。年下の生徒たちとゲームをしたり歌をうたったりしたし、チャイムがなったあとも校庭で何時間もすごした。楽しかったが、平気そうな顔をしていても、本当はどうしようもなく悲しかった。家につくと、もう自分の感情をおさえていられなくなって、何時間も泣きつづけた。

秘密の学校

学校へ行かなくなったため、マララにはたくさんの時間ができた。その時間をむだにしたくなかったので、学校禁止に反対の声をあげることにした。次の数週間、ジアウディンとともに、今のところはまだタリバンに征服されていないペシャーワルなど各地をおとずれた。そこで大切なスワートで何が起きているのかをくわしくみんなに話した。

タリバンが子どもを殺すことはないだろうと思いはしても、みんなマララのことを心配していた。マララがインタビューに行くたびに、マララの祖母は神アッラーに祈った。

マララにはこわがっているひまはなかった。怒るのにいそがしかったからだ。さらに、マララのがんばりが効果をあらわしはじめてもいた。テレビやラジオに出たおかげで、パキスタンの人々がようやく気がついて、関心をしめしてくれた。

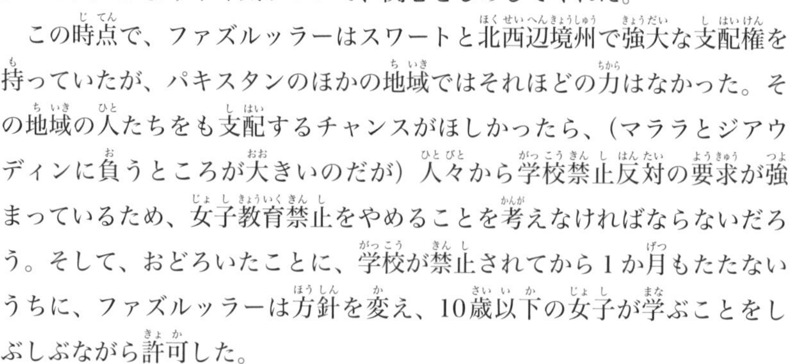

神さま、どうかマララがベーナズィール・ブットーのようになれますように。でも、ベーナズィール・ブットーのように早死にすることはありませんように。

この時点で、ファズルッラーはスワートと北西辺境州で強大な支配権を持っていたが、パキスタンのほかの地域ではそれほどの力はなかった。その地域の人たちをも支配するチャンスがほしかったら、(マララとジアウディンに負うところが大きいのだが) 人々から学校禁止反対の要求が強まっているため、女子教育禁止をやめることを考えなければならないだろう。そして、おどろいたことに、学校が禁止されてから1か月もたたないうちに、ファズルッラーは方針を変え、10歳以下の女子が学ぶことをしぶしぶながら許可した。

マララと友だちの何人かは11歳だった。それでも、みんな学校へ行くのをやめなかった。マララとクラスメイトは青と白の制服のかわりにふだん着を着て、教科書をショールの下にかくして学校へむかい、タリバンに止められたらなんというかまで練習していた。

おまえたちは何を
しているんだ？
ぶらぶらしているだけです……。
学校

危険ではあったが、わくわくもした。マルヤム先生はこれを「無言の抵抗」と呼んだ。

スワートに平和が？

昔、ミンゴーラでは銃の音はお祝いを意味していた。子どもが生まれたとき（ただし、男の子の場合）や結婚式のときなどだ。だが、戦争がすべてを変えた。だから、2009年2月16日の朝早くに銃声がひびいたとき、人びとはおそれおののいた。何時間もたってから、ようやくそれがお祝いのためだったとわかった。タリバンと地元政府が和平協定を結んだのだ。タリバンが戦いをやめることに同意し、そのかわりに、政府はシャリーアを人々に課すことになった。協定で、公共の場で顔をおおうなら11歳以上の女子も学校へ行ってよいことになった。

協定はあなだらけだったが、何週間もの爆音と外出禁止のあとで、ようやくいつもの生活にもどれて、人々はただただほっとした。

胸をはって学校へ歩いて行けるのが
待ちきれないわ。

残念なことに、タリバンが平和にはまったく興味がないということは、だれの目にも明らかだった。協定のせいで、タリバンのメンバーが銃や棒で武装して、通りや市場を堂々とパトロールできるようになってしまった。ある日の午後、トールペカイが買い物をしていると、タリバンのひとりが行く手をふさぎ、ブルカを着用していないからたたいてやるとおどした。トールペカイは自信にあふれた女性で、なんとか冷静をたもっていられたが、恐怖を感じていた。

なんてやつらかしら！
ブルカを身につけることが、
わたしたちパシュトゥーン
人の伝統だったことなんて
一度もないわよ。

春までには、明らかに和平協定は守られなくなっていた。政府はタリバンに従うようになって、ほぼ支配権をうしない、もうタリバンのやりたいほうだいで、何をしても許されるようになった！　タリバンがとなりのブネール地区に進撃したとき、軍隊は地元当局に反撃しないように命じた。そのため、それから数日のうちに、通りでテレビやDVDのたき火がたかれるようになった。

首都イスラマバードでは、タリバンに完全に征服されることをおそれて、政府はタリバンを徹底的に追いはらう計画を立てることにした。2009年6月、何か月もかけて注意深く計画をたてたのち、軍隊はミンゴーラの通りにもどってきた。

そして、軍隊からはっきりとしたメッセージがだされた。大変な状況になるので、一般市民はミンゴーラから出ていくようにと。

6 マララ、移動する

マララはようやく学校にもどれたばかりだったのに、ここを離れなければならなくなった。またしても、タリバンのせいで！　1番つらいのは、マララ一家はほかの人の車でミンゴーラから出ていくため、必要最小限のものしか持っていけないことだ。学校の教科書も持っていけないと知って、マララはひどく落ちこんだ。どうすることもできなくて、マララは2階の客用寝室に教科書をかくし、無事であることを祈った。

弟のホシュハールとアタルもこまっていた。ペットのニワトリをおいていかなくてはならないからだ。ニワトリたちにたっぷりえさと水をあたえ、元気でいてくれることを願った。

パシュトゥーンの歴史上、最大の移動だった。ほとんど何も知らされないまま、家を出ていく家族でミンゴーラの通りはごちゃごちゃになった。中には、着の身着のままや、行先のないものまでいた。だがパシュトゥーン人なら、パシュトゥーンワーレイに従って、そのような人たちを助けるだろう。そしてもちろん、近くの町のパシュトゥーン人たちがこころよく避難民たちの4分の3、つまり150万人以上（！）を一般家庭や学校やモスクに受けいれてくれた。残りの人たちは難民キャンプに行くしかなかったが、そこでは病気がまんえんしているし、うすっぺらいテントしかなくて、照りつける夏の日差しをほとんどさえぎってくれなかった。

交通渋滞

親せきのいる山の上にあるシャングーラへは、いつもなら2、3時間でつく。だが今回は、タリバンが多くの道を封鎖していたので、ひどい交通渋滞が起きていた。そのため、結局何日もかかることになった。マララ一家は山の上の親せきのところに滞在するつもりだったが、いつまでたってもたどりつけなかった。3日間かけて、ようやく目的地まであと数キロというところにきたとき、軍のチェックポイントで止められ、もどるようにいわれた。それを聞いて、マララの祖母はあまりにもつかれていたために泣きだしてしまい、兵士に通らせてほしいとお願いした。

一方、ジアウディンは反対方向の州都ペシャーワルへむかっていた。トールペカイは行かないでくれとたのんだが、決してゆずらなかった。どれほどうったえても、軍はミンゴーラの住民を助けようとしてくれなかったので、ミンゴーラの住民が国内避難民としてくらさざるをえなくなっている、このひどい状況を当局やマスコミに知ってほしかったからだ。

山の中のくらしは大変だった：

マララはスーツケースをあけると、持ってきた服がどれもここではふさわしくないと気づいた！　とても不安に思いながら、どの服もスーツケースにもどした。

- いとこたちとすごすのは楽しかったが、教科書や友だちや町のさわがしさがなつかしかった。
- ジアウディンはできるだけ連絡をしてきてくれたが、山の中では携帯電話の受信状態はかなり悪かった。
- 毎晩、家族全員ラジオの前に集まって、ミンゴーラのニュースを聞いた。

もしもし？
もしもし？
軍隊はちゃくちゃくと前進している。町を取りもどした！
それで、いつ家に帰れるの？

2か月で4回も移動する

ジアウディンがようやく連絡をくれたのは、不安な思いで6週間をすごしたあと、たまたまさらに先へ移動しようとしているときだった。すぐに、一家はペシャーワルでジアウディンに会うことができた。そこからまたイスラマバードへむかい、ジアウディンの友だちの家に滞在することになった。そのあとは、どこだろうと一家を受けいれてくれる人のところに泊めてもらうしかなかった。つまり、あちこちへ移動するくらしになった。

ジアウディンは活動をやめず、マララはいつもジアウディンの近くにいた。ふたりはアメリカのアフガニスタン・パキスタン問題担当特使リチャード・

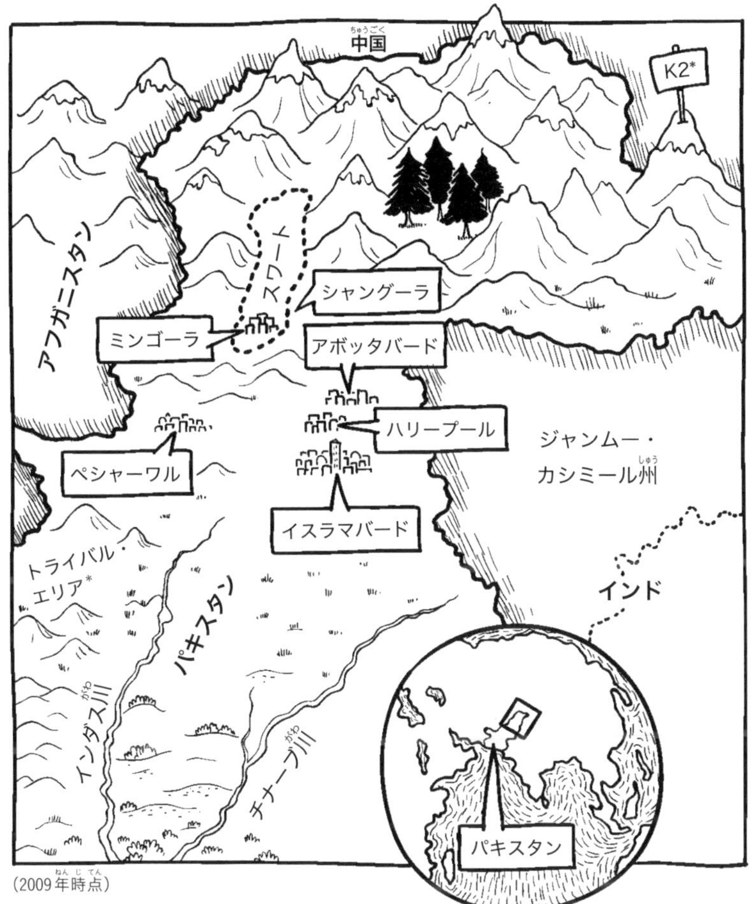

（2009年時点）

ホルブルックにこっそり会いにいった。マララは女子が教育を受けられるように助けてほしいとリチャード・ホルブルックにたのんだ。だが、ホルブルック氏は拒否するように手をふって、こういっただけだった。

「きみの国はほかにもたくさんの問題をかかえている」

明らかに、ホルブルック氏は女子教育より大切な問題がほかにあると考えていた。マララはがっかりしたが、すぐに気を取りなおして、次の日にラジオでも、ホルブルック氏にしたのと同じ話をした。ラジオ局はとても感動して、マララ一家に、ラジオ局がアボッタバードに所有しているゲストハウスに泊まるよう申しでてくれた。きゅうくつなところに何週間もく

＊K2……パキスタン、カラコルム山脈にある山。
＊トライバル・エリア……パキスタン西北部。アフガニスタンとの国境地帯。多数の部族が居住している。

らしていたので、マララ一家はその申し出にとびついた。

何よりもよかったのは、親友のモニバもアボッタバードにいたことだ！マララはこの幸運が信じられなかった。最後にモニバに会ったとき、ふたりは何かばかげたことでけんかをしていた。だが、心配する必要はなかった。ふたりはビスケットとジュースで、すぐに仲なおりして、もう決してけんかはしないとちかいあった。

しばらくは、またふつうのくらしにもどれたように感じた。

マララ一家はゲストハウスに一週間滞在したが、また移動した。今度はハリープールで、おばがみんなを家に受けいれてくれたのだ。マララは、自分たちは運がいいのだとわかっていた。50万以上もの人がうだるように暑い難民キャンプでくらしているのだから、屋根があるところに住めるだけで幸せだ。だが、しじゅう移動するくらしはつかれるので、家に帰りたくてたまらなかった。

このように、みんなが大きなストレスを感じているときに、マララの12歳の誕生日がめぐってきた。そのため、

わたし以外だれも、誕生日をおぼえていなかったの！　ショックだったわ。でも、みんなストレスいっぱいだったから、もんくなんかいえなかった。

ケーキも、ふきけすロウソクもなかったので、マララは心の中に思いえがいた。目をとじ、想像上のロウソクの火をふきけして、願いごとをした。11歳の誕生日にしたのとまったく同じ願いごと、「スワート渓谷が平和になりますように」と。

あれはてたミンゴーラ

スワート渓谷をはなれて3か月近くがたったとき、ようやく正式な発表があった。

「タリバンはやぶれた。ミンゴーラは安全だ。家にもどってもよい！」

それから一週間後の2009年7月24日、マララ一家はついに家にもどることにした。マララはとてもわくわくしていた。ところが、ミンゴーラの町を車で走っていると、悲しい思いでいっぱいになった。ミンゴーラは、マララがおぼえているすがたではなかった。どこもかしこも銃弾のあなだらけで、通りは空っぽで静まりかえり、くずれおちた建物のがれきと、焼けた車だけが続いている。ほとんどだれももどってきていない。ミンゴーラが安全だとは思えなかったようだ。むりもない。

家に近づくと、みんなだまりこんでしまった。

父親が門をあけたとき、マララは息がつまりそうだった。弟のホシュハールとアタルがマララをおしのけて先に中に入り、草がのびきった中庭をかきわけて進み、大切なニワトリたちの様子を見にいった。または、死がいがあるかどうかを……。かわいそうに、ニワトリたちは飢えて死んでしまったようだ。残っていたのは、骨と羽根だけだった。

マララは２階の客用寝室にかけあがり、教科書を確かめた。同じ通りには、ものをぬすまれた家もある！　だが、ありがたいことに、マララの家はすべてもとのままだった。テレビも残っている。マララはほっとして、教科書を胸にだきしめた。それでも、まだ不安でいっぱいで、喜びを感じられなかった。

マララとジアウディンは、学校がどうなっているだろうかと、びくびくしながら確かめに行った。まだそこに建ってはいた。だが、だれもいない間、軍がしばらく住んでいたようだ。かべにたくさんのいたずら書きがあり、ゆかにはタバコのすいがらがいたるところに落ちている。手紙が残されていた。それには、こう書かれていた。

ミンゴーラの人たち、なぜ
タリバンに町をのっとらせたのだ？
こうなったのは、すべて
おまえたちのせいだ。

マララはその手紙と、軍が学校内をめちゃくちゃにしたことにがくぜんとした。軍は、町とその住民を守るためにあるのであって、町の人たちを傷つけたり責めたりするためにあるのではない。軍はまだ町中に残っていた。軍の車が通りをうめつくし、ヘリコプターは空で音をたてている。

スワート渓谷は、今のところは平和だ。だが、マララと家族のみんなはまだ安心できなかった。タリバンはここから追いはらわれはしたが、リーダーのほとんどは、ファズルッラーもふくめて、まだつかまっていない。タリバンがふたたび支配権をにぎろうとするのは、時間の問題だとマララは思った。

7 気をつけて、マララ

次の数週間で、ふつうのくらしがゆっくりともどってきた。家にもどってくる人がふえ、店がふたたび開き、女の人はまたひとりで市場に行けるようになり、音楽やダンスが夜通し続いた。ジアウディンと友人たちは、ミンゴーラの避難民を受けいれてくれた家族に感謝の気持ちを表すために、近くの町マーガザーで平和の祭りを開く計画をたてた。

何よりもよかったのは、マララが学校にもどれたことだ。学校初日、マララとクラスメイトは、どこにいて何をしていたかを教えあって、教室はざわざわしていた。

それからすぐの2009年８月、マララとクラスメイトはふたたびミンゴーラを離れた。うれしいことに、今度はイスラマバードへの修学旅行で、みんなとても楽しくすごせた。観光をして、劇場へ行き、マクドナルドを生まれて初めて食べてみた！　マララはこっそりぬけだして、『キャピタルトーク』というテレビの人気トーク番組のインタビューに少しだけ出演して、タリバン支配下の生活がどんなものかを話した。

マララはミンゴーラから避難したときにもイスラマバードに滞在したが、この町を落ちついてじっくり見られたのは、今回が初めてだった。タリバンはもちろん、首都であるイスラマバードを手にいれようとねらってはいたが、幸運なことに、まだイスラマバード近辺にも到達できずにいた。タリバンのいやな影響がないので、女の人も頭をまったくおおうことなく、自由に外を歩きまわっている。マララは信じられなかった！

わたしたち、ここでくらせたら幸せね。
わあ！

生徒たちは女性の医師、弁護士、活動家に会った。教育を受けた女性はイスラマバードでもまだ少数派だったが、このような女性が存在するということを知って、マララの夢もいつか本当に実現するかもしれないと思えた。家に帰るバスの中で、みんな興奮しておしゃべりしていた。

わたしは将来、医者になるわ。
わたしは国連で働きたい。

マララ、責任を負う

ここ数年間の大変な状況のせいで、数百人の子どもが親をうしなった。そこで、子どもたちのための慈善事業団体ユニセフとフパル・コール（「わが家」という意味）財団と呼ばれる児童養護施設が、スワート地区に子ども集会を設立して、子どもたちに発言してもらうことにした。子どもたちの問題を聞くために、パネルディスカッションに参加する子どもたちを選挙で選び、意見を出してもらって変化をもたらそうというアイデアだ。

2010年初め、ホシュハール・スクールも参加するように求められた。子ども集会は60か所を対象としており、議長、副議長、書記を選ぶ選挙がある。パネルディスカッションに参加できる、わずか11人のうちのひとりに選ばれて、マララはうれしくてたまらなかった。さらに、初めての会合で、マララが議長に選ばれたのだ。

えー、本当に？　わたしが？

ついに、子どもの話を聞いてもらえて、真剣に受けとめてもらえるとは、信じられないほどだった。さまざまな重要人物に女子教育のことを話すために、1秒もむだにしたくなかった。

集会は毎月行われ、以下のものをふくむ多くのことが決まった：

- **タリバンによって破壊された学校をたてなおす。**
- **ストリートチルドレンに教育を受ける権利をあたえる。めんどうをみる親がいないので、生きるためにゴミ捨て場をあさらなければならない子どもの数がとても増えていた。**
- **学校で、罰としてむちで打つことを禁止する。**

ようやく、状況は上むいてきたようだった。

大災害！

ところが、それからすぐにふたたび災害におそわれた。

2010年夏、マララが13歳のとき、巨大モンスーンがスワート渓谷を通過した。雨がはげしくふりつづけたので、その日、マララとクラスメイトは授業をあきらめて帰らなくてはならなくなった。だが、おそろしいことに、家に帰るには深い水の中を進んでいかなければならなかった。

ここまでひどい状況になったのは、タリバンがたくさんの木を切りたおして、木材を売ったせいだ。木がなくなったために、どろ水が一気に山を流れ

おち、その通り道にあったものをすべて破壊した。

道路は水におし流され、いくつもの村が水にしずんだ。スワートの人たちは、次から次へと、これほどひどい災害におそわれるとは、とても信じられなかった。実際、この洪水はパキスタン史上最悪のものだった。

このときを待ちかまえていたものがいる。だれなのかは、わかるだろう。そう、タリバンだ。タリバンはすぐにもどってきて、洪水は神のくだした罰だと主張し、この機会にふたたびこの地域を支配しようとした。

そもそもタリバンが木を切りたおさなければ、こんなに大きな被害をもたらす洪水に、ならなかったのよ！

その後の数週間で、つぎつぎと殺人がおこり、ふたつの学校が爆破された。タリバンは自分たちがやったと発表した。マララは怒りのあまり、声もでなかった。

これのどこが平和だというの！

確かに、戦争は終わり、政府の統治が取りもどされたことになっているが、実際には、まだそのような状況にはなっていなかった。なぜなら、タリバンはもう通りをパトロールしたりラジオ放送をのっとったりはしていなかったが、今でも、かげで権力をにぎっていたからだ。

マララはおとなになったら医者になることを夢みていたが、考えが変わりはじめていた。パキスタンには絶対にすぐれたリーダーが必要だ。

うーん、たぶん、いつかわたしは首相になれるんじゃないかしら！
そうかもね！　こんなに混乱した国のめんどうを引きうけたいなんて、どうかしてるんじゃないかと思うけど！

よい知らせ

ようやく、暗やみにひとすじの光がさしてきた。2011年10月、わくわくするようなメールが届いた。マララがある賞にノミネートされたというのだ！

国際子ども平和賞は毎年、子どもの権利を向上させるのに役立つ活動をした子どもにあたえられる。マララは、世界的に有名な南アフリカの人権活動家で、ジアウディンがヒーローとして尊敬している、大主教デズモンド・ツツによって推薦されたのだ！

マララはその賞はのがしたが、多くの人に注目されるようになっていた。そして、そのわずか数週間後、女子教育のために声をあげつづけたことが認められて、パキスタンで最初の国民平和賞を授与されることになった。

2011年12月、マララはイスラマバードへ行き、首相のユースフ・ラザー・ギーラーニーからその賞を受けとった。首相に会える機会を利用して、マララは気がかりに思っていることをたくさん伝えたが、真剣に聞いてはもらえなかったように感じた。

50万ルピー（約24万円*）の賞金を、マララはクラスメイトとともに、教育基金を設立するために使った。真っ先に助けたかったのは、ゴミ捨て場で働いていたストリートチルドレンだ。

これは、マララの活動の始まりにすぎなかった。マララは自分のところ

＊2023年4月1日時点のレートで換算。

にくる、どんな小さなチャンスもむだにしたくなかった。だが、トールペカイは心配でたまらなかった……。

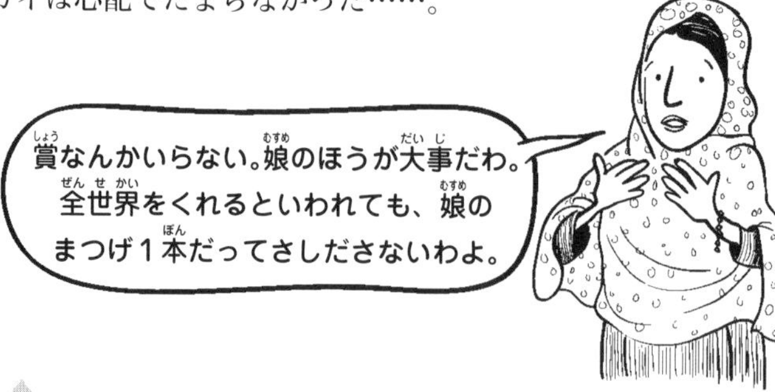

賞なんかいらない。娘のほうが大事だわ。全世界をくれるといわれても、娘のまつげ１本だってさしださないわよ。

マ ララがねらわれている

マララが生まれて初めて飛行機に乗ったのは、14歳のときだった。2012年1月のことで、マララ一家はカラーチーにむかっていた。カラーチーの地元政府がマララに敬意を表するために、ある女子準高等学校の校名をマララの名前がついたものに変えたのだ！　自分の名前がついたその学校の名板を見あげたとき、マララはあまりにうれしくて何もいえなくなった。マララの伝えたいことが、本当に理解されてきていると感じられた。

カラチについた数日後、ひとりのジャーナリストがマララ一家の滞在しているホステルをたずねてきた。ニューヨーク・タイムズのドキュメンタリー映画を見て、ぜひともマララに会いたいと思ったのだという。ふたりはしばらくおしゃべりをしていたが、そのジャーナリストがいきなり爆弾発言をした。

そのジャーナリストはコンピューターでそのページを表示した。すると、確かに、もうひとりの女性活動家シャッド・ベーガムといっしょに、マララの名前があった。名前の下には、次の言葉が書かれていた。

このふたりは、世俗主義を広めており、死ぬべきだ。

父親の肩ごしにそれを読みながら、マララはふしぎなほど冷静だった。たった14歳なのだから、タリバンが本気でマララを殺したがるはずはない。だが、マララの両親はそんなに落ちついてはいられなかった。マララに、しばらくの間、活動をやめるようにいったが、マララは聞きいれようとしなかった。

活動をやめるなんて、とんでもない！

一家はミンゴーラにもどると、警察署へとんでいった。すると、警察ではマララが危険な状況にいることを示すファイルをすべて持っていた！今では、マララのメッセージが確実に広まってきているので、タリバンはなんとしてもマララをだまらせたいと思っているのだ。

おとなのなかまいり

2012年7月、マララは15歳になった。パキスタンの法律では、女子は16歳で、男子は18歳で成人になる。だが、イスラーム教では、女子は15歳でおとなと見なされる。もはや子どもではない。マララは学校を卒業し、結婚して家庭を持てる年になる。クラスメイトの中には、結婚するために、もう学校へ行くのをやめたものもいる。マララは自分もそうするところを思いえがいてみようとしたが、まったく想像できなかった！　それより気がかりなのは、おとなになったので、マララも正式にタリバンのターゲットになったことだ。

マララは危険な状況にあり、ジアウディンの名前はタリバンの殺害予定者リストの上位にある。ジアウディンの友だちのひとりが、ある晩お祈りからの帰り道にうたれてけがをした。次は自分かもしれないとジアウディンは心配になり、次の日から、タリバンの目をくらますために、毎回、仕事へ行くのに通る道を変え、夜はちがう友だちの家でねるようになった。

今夜はどこに泊まろうか？
ミンゴーラ

家族みんながびくびくして、いつも緊張していた。マララは悪夢を見るようになっていたが、そのことは、だれにもいわずにいた。両親は、すでにじゅうぶん不安をかかえているのだから。

いつもどおりの日

2012年10月9日、その日はいつもと同じように始まった。マララはぎりぎりの時間にベッドからころがりでた。家族そろって朝食をとり、全員、学校へむかった。そう、全員だ。マララの活動にしげきされて、トールペカイも読み書きを学ぶことにしたのだ。そして、まさにその日の午後、初めての授業を受けることになっていた。

マララはその日の午前中にパキスタン学の試験があったので、前の晩、おそくまで勉強していた。マララの苦手科目のひとつだ。だが、この科目でもいい成績を取らなければ、ライバルのマルカ・エ・ヌールに勝って、ふたたびクラスのトップになることはできない。

そして、結果として、試験はとてもよくできたので、学校から帰るとき、マララはごきげんだった。モニバと楽しくおしゃべりしながら家へ帰るバスを待ち、バスの中では運転手が手品をいくつか見せてくれたので、おもしろくてクスクス笑った。パキスタンでは、何もかもが完ぺきというわけにはいかなかったが、マララは現状にがっかりしたりしないと決めていた。ガタガタ走っている間、バスの中はおしゃべりや笑い声でいっぱいだった。歌をうたいだした女の子たちまでいた。

バスが丘をあがると、マララは窓から外を見て顔をしかめた。この通りは多くの人が使う近道なので、いつも人や車でいっぱいだ。ところが、おかしなことに、今はだれもいない。

次の瞬間、バスがいきなりブレーキをかけ、女の子たちがイスから前に投げだされそうになった。ふたりの男が、前と後ろからそれぞれバスに乗ってきて……マララの人生を決定的に変えた。

8 うしなわれた一週間

2012年10月16日、うたれてから1週間がたったこの日、マララはようやく意識を取りもどした。

知らない場所にいた。自分がどこにいて、いったい何があったのか、まったくおぼえていない。今でも、うたれたあとのことは何も思いだせない。友だちや家族や医者に、くわしく教えてもらうしかなかった。そして、この1週間の間に、実にさまざまなことがあったのを知った。それは、次のようなことだ。

時間との競争

マララがうたれたことに気がつくと、バスの運転手はすぐにスワートセントラル病院へむかった。生徒をいっぱいに乗せたまま、右に左にたくさんの車をよけながらバスを走らせた。バスの中では、みんなが悲鳴をあげたり、泣いたりしていた。

マララはわたしのひざの上にたおれて、たくさん血を流していました。シャーズィヤとカーイナートもうたれましたが、マララほどひどくはありませんでした。
モニバ

マララがうたれたというニュースは、山火事のようにあっというまにミンゴーラ中に広まった。ジアウディンが病院についたときには、先にきて待ちかまえていた、おおぜいのジャーナリストたちの間をかきわけて進まなければならなかった。マルヤム先生も、そのあとすぐに、夫のバイクの後ろに乗せてもらって到着した！

スワートセントラル病院は小さくて、基本的な医療機器しかなかった。そのため、マララをすぐさまペシャーワルへ移すことに決まったが、車では4時間もかかる道のりだ。そんなに時間をかけているよゆうはない。そこで、軍のヘリコプターがすぐにみんなを運んでくれることになった。それでも、ジアウディンはタリバンに追いつかれるのではないかとおそれていた。ミンゴーラ中の人が、マララのいる場所を知っていたからだ。タリバンはマララがどこへ行ったかすぐにつきとめるだろう。そして、またマララをうつかもしれない。

トールペカイは知らせを聞いたのがおそかったため、ヘリコプターに乗れなかった。そこで、近所中の人が集まって、トールペカイをなぐさめてくれた。大さわぎになっていた。たくさんの人が泣いたり、祈ったりしてくれたし、電話はずっとなり続けていた。マララの乗ったヘリコプターが家の上を通ったとき、女性たちは屋上にかけあがった。トールペカイも屋上にあがり、とても変わったことをした。自分のスカーフをはずして、神へささげるかのように、それを天にむけてかかげたのだ。

緊張の5時間

ヘリコプターの中で、マララの容態はかなり深刻なように見えた。血をはき、死期が近づいているようだった。午後5時、つまり、マララがうたれてから5時間近くたってようやく、ペシャーワルのコンバインド・ミリタリー病院に到着した。そこは、病院というより軍事施設のようなところだった。

おどろくほどわかい顔をしたジュナイド・ハーン大佐という名前の医師が、みんなにあいさつをした。たえがたいほど緊張が高まった。大佐がマララを診察すると、ジアウディンはどうしようもなく不安になった……。

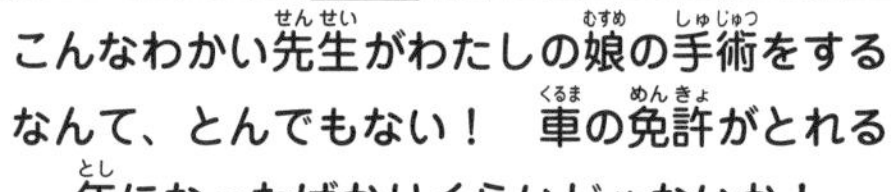

大佐はすぐに、マララをうった銃弾がまだ体内にあることを知った。こめかみから入った銃弾は、左目のすぐわきを通り、首から肩まで45センチも下におりていた。そして肩のところで止まっていた。頭蓋骨の小さな破片のせいで脳がはれているので、ふくらんだ脳のための空間をつくらないと、マララはほぼ確実に死ぬことになる。

「手術が必要です」ジュナイド大佐は真夜中近くにジアウディンにいった。手術は危険をともなう。手術の同意書にサインをするとき、ジアウディンの手はふるえていた。

このころには、母トールペカイもマルヤム先生とともにミンゴーラから到着していた。３人は手術室の前で、一生懸命、祈りつづけた。

手術室の中では、もうひとりの外科医アリー・ムムターズ先生が大佐と協力して働いていた。ふたりは、これ以上ないくらい注意しなければならなかった。マララの脳の、言葉や手足などの動きをつかさどる場所の近くを手術していたからだ。少しでもまちがえれば、マララにはまひが残ることになるだろう。

緊張の続く大変な４時間を経て、手術は終わった。その結果はもう少したたないとわからないが、マララの命が救われたのは、ジュナイド大佐が手術をすると決めたおかげだろう。

タリバンが犯行をみとめる

マララはまだ危険な状態だった。脳がひどく圧迫されているので、安定した状態をたもつためには、悪化しないように、意識がないままでいなければならなかった。

いっぽう、タリバンはマララをおそったことをみとめる正式な声明を発表した。

……彼女はわかいが、西洋の文化をパシュトゥーン地域にもたらそうとした……われわれと対立している政府の側につくものは、だれであれ、われわれの手で死ぬことになる。すぐにわかることだが、ほかの重要人物も犠牲になるだろう。

メッセージは明らかだった。真っ昼間に（それも、実は軍の検問所のすぐ近くで）女子生徒がねらわれるというのなら、もう、だれものがれられない。

パキスタン中の人々がはげしく怒った。国中で抗議がおこり、多くの人が集まって、ろうそくに火をともし、マララの写真をにぎりしめて、マララの回復を祈った。

すばらしいふたりの医師

マララが手術を受けた日の午後３時ごろ、ふたりのイギリス人医師、ジャーヴィド・カヤーニーとフィオナ・レイノルズがマララのベッドにきていた。ふたりは偶然、近くのラーワルピンディーで働いていた。そして、その日の夜イギリスへもどるまえに、マララをみてほしいとたのまれたのだ。

ふたりは、まず手をあらうために水道のせんをひねり、おそろしい事実を知った。集中治療室は水が出なかったのだ！

マララを診察すると、フィオナ医師とジャーヴィド医師の不安はますます強まった。

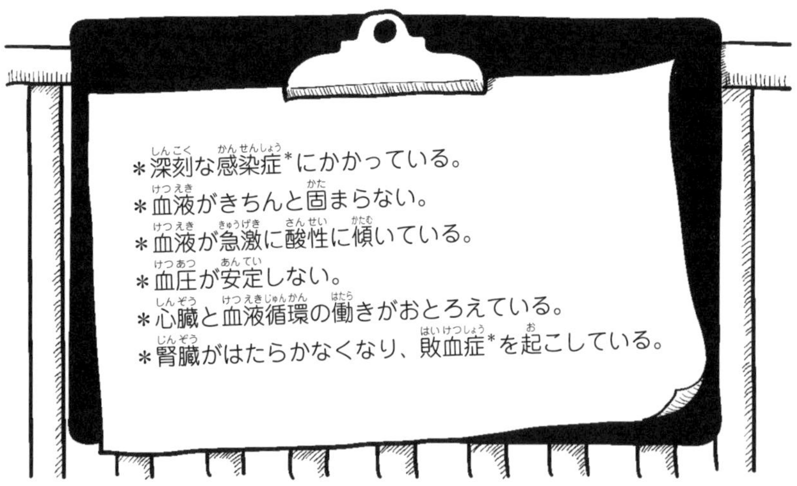

＊深刻な感染症*にかかっている。
＊血液がきちんと固まらない。
＊血液が急激に酸性に傾いている。
＊血圧が安定しない。
＊心臓と血液循環の働きがおとろえている。
＊腎臓がはたらかなくなり、敗血症*を起こしている。

危険な状態だった。手術は成功したが、病院の設備がきちんと整っていないため、マララの命が危機にさらされていた。このころ、ジアウディンはシャングーラにいるマララのおじに電話をかけて、泣きながら、マララの葬式の準備を始めてくれるようにたのんでいた。

＊感染症……病原体（病気を起こす小さな生物）が体に侵入して、症状が出る病気のこと。
＊敗血症……細菌などの病原微生物に感染し、体がその微生物に対抗することで全身に炎症が生じ、重要な臓器に障害が起こること。

一方、フィオナ医師はジュナイド大佐に、マララを助けるには、ふたたび移動させるしかないと冷静に説明していた。

その日の終わりには、マララはラーワルピンディーにある軍病院へむかうヘリコプターに乗っていた。パキスタンで最もよい設備のある病院だが、テロリストたちに攻撃される危険は高まる。タリバンがやりかけの仕事を終わらせようとする可能性が十分ある。もちろん、軍病院のセキュリティはきびしい。兵士が周囲を取りかこみ、銃をかまえた兵士が屋上に配備されている。中に入ると、ジアウディンもトールペカイも携帯電話を取りあげられた。何かを食べにいくにも、武装した警備兵が必ずついてきた。

いつも、あとを
つけまわされている
気がしないか？

それでも、不満はもらさなかった。タリバンは今まで、守りの固い軍事基地さえも数多く攻撃してきた。病院に入りこむ方法をかんたんに見つけだすこともできるだろう。

少しずつだが、マララの容態はよくなってきていた。だが、まだ意識はもどっていないし、けがは相変わらずきびしい状態だった。たとえ、この状況をのりこえられても、理学療法*、言語療法*などが必要になるだろう。だが、パキスタンにはそのための適切な施設がない。回復するためには、ふたたび移動しなければならない。だが。どこへ？

＊理学療法……運動機能が低下した人に対し、運動機能維持・改善のために運動やマッサージなどを行うリハビリテーション。

＊言語療法……言葉の障がい、声や発音の障がい、食べる機能の障がいのある人に対して行うリハビリテーション。

このころには、マララがうたれたこととマララの容態についてのニュースは、世界中のトップ記事になっていた。そして、世界中の人が激怒した。

国中がマララのために祈っている
デイリー ニュース
女子生徒が生きるためにたたかっている！
モーニングポスト
衝撃的なタリバンの発砲

国中と世界中から、力になりたいという申し出が殺到した。だが、フィオナ医師とジャーヴィド医師はイギリスのバーミンガムにあるクイーンエリザベス病院で働いており、そのクイーンエリザベス病院は銃弾などによる傷の治療を専門にしている。だから、マララをイギリスへ連れていって、そのふたりに引きつづきみてもらうのが最もよい選択だった。

ふたたび移動する

マララをバーミンガムへ連れていくのは、ただ航空券を予約すればよいという単純な話ではない。だが、マララの事件は広く知れわたっていたので、アラブ首長国連邦の首長家が、自分たちのプライベートジェットを使ってくれと申しでてくれた！　マララはあとからこの話を聞いたとき、とても信じられなかった。

マララは今までパキスタンから出たことがなかったため、すぐにパスポートを用意しなければならなかった。マララの家族がパスポートを取得するには、必要な書類の準備もあるので、もっと多くの時間がかかりそうだった。ジアウディンはすでにパスポートを持っていたが、妻や息子を残していくのは心配だった。今では、家族全員がタリバンの正式なターゲットになっているのだから。
マララの家族がバーミンガムに行けるまで、フィオナ医師がマララの正式な後見人になってくれるといってくれた。マララを送りだすのはつらかったが、少なくとも、安全な場所に行けるのだ。

フィオナ先生、
あなたを信じて
います。娘を
お願いします。

9　マララ、目をさます

マララは2012年10月15日月曜日の午後にバーミンガムに着いた。

その翌日の午後、1週間ぶりに目をあけた。知らない場所にいることがわかって、不安になった。

いったい、ここはどこ？

何もかもが清潔でぴかぴかだった。病院にいるのはまちがいなかったが、スワートの小さな病院ではない。パキスタンなのかどうかさえわからなかった。

医師がマララのベッドわきにやってきて、ジャーヴィド医師だと名のった。一度も会ったことはないはずなのに、医師のほうはマララのことをとてもよく知っているようだった。医師はウルドゥー語で話しかけてくれた。英語よりウルドゥー語のほうがよくわかるが、あまりにもつかれて混乱していたので、医師のいっていることを理解するのは大変だった。マララは、ここはどこかと聞こうとしたが、口を開いて話そうとしても、声がまったく出なかった！

このチューブをとるまで、話ができないんだ。
のどにチューブが入っているため、声が出せなかった。

体中がおかしかった。病院の明かりがまぶしすぎて、目がヒリヒリした。頭はわれそうにいたいし、何もかもが二重に見える。左手はまったく動かせない。つらくてたまらないし、ものすごくこわかった。

マララはその日、ずっとうとうとしていた。次の日に目をさましたときも、まだ、わけがわからないままだった。山ほど聞きたいことがあったのだが、のどにチューブが入っているので、話すことができない。それに、耳もおかしかった。水の中にいるみたいに、何もかもがこもって聞こえる。

ジャーヴィド医師がマララにノートをくれたが、ひどく手がふるえるので、何も書けなかった。なんとか文字らしきものが書けても、きちんとつなげて意味のわかる言葉にはできなかった。そこで、ジャーヴィド医師は、紙にアルファベットを書き、マララにひとつずつ文字を指さして言葉をつくるようにいった。この方法はうまくいったが、たえがたいほど時間がかかった。それでも、マララは質問をした。

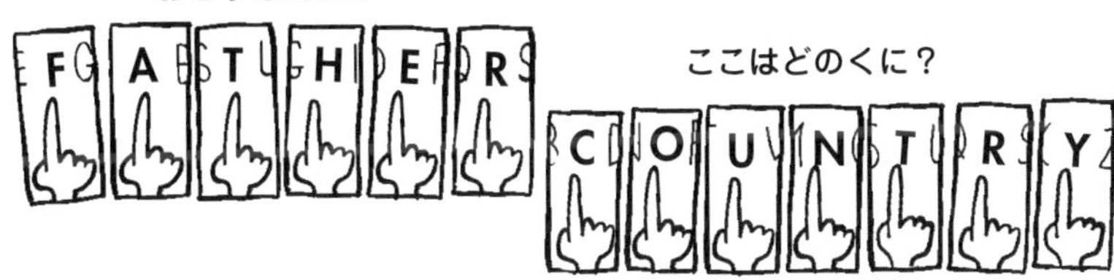

医師と看護師はマララがイギリスにいて、家族は無事だと何度もいってくれた。だが、マララは信じられなかった。

みんなが無事なら、どうしてここにいないの？

少し安心する

フィオナ医師がきて、新聞から切りぬいた父ジアウディンと後ろに弟アタルと母トールペカイがうつっている写真を見せてくれたので、マララはようやく安心した。

それから、ジャーヴィド医師がマララの両親に電話をかけるというと、マララの目がかがやいた。だが、けがのせいで、笑顔をつくることはできなかった。

マララはまだ話せなかったが、父親の声を聞けただけでうれしかったし、ほっとした。それに、家族のみんなもできるだけ早くマララに会いにくるといってくれた。

疑問

電話のあと、マララは少しずつよくなってきた。それから数日で、ノートにかんたんな質問を書けるくらい、手のふるえもおさまった。

1週間以上、鏡を見ていないことに気がついて、フィオナ医師に自分の顔を見たいとたのんだ。鏡にうつった自分の顔を見たとき、ショックなどという言葉ではいいあらわせないほどだった。

マララはフィオナ医師から、それまでの話をすべて聞いて、ぞっとしたし、おもしろいとも思った。銃を持った男たち、バスの運転手、病院から病院へ、ヘリコプター、プライベートジェットでイギリスへ……。だが、そのうちの何ひとつ覚えていない。とても信じられないような内容で、ほかの人の話を聞いているみたいだった！

それから、事実がわかってくると、怒りがわいてきた。うたれるまえに、タリバンに自分の考えを伝えるチャンスは一度もなかったのだから！

バーミンガムについて５日目に、ようやくのどのチューブがとれた。少ししわがれているが、声が出るようになり、やっと家族と本当に電話で話せるようになった。

できるだけ早くきてね。そのとき、
わたしの通学カバンを必ず持ってきて！

記憶力ももどってきたので、マララは勉強を再開したくてたまらなかった。回復してきたら、２、３週間で家にもどれるだろうと考えていた。試験もあるので、復習しなくてはならないのだから。ところが、かなり長くイギリスにとどまることになり、心配していた試験はどうなったかというと……

結局、その試験を受けることはなかった。

待つ時間

マララは２日もすれば家族に会えると思っていた。だが、パスポートの手配に思いのほか時間がかかり、２日が４日になり、６日になった……。

毎日電話で話してはいたが、心配だった。それに、ものすごく退屈だった。あまりよくねむれなかったので、時計を見つめ、家族がやってくるまでの時間があと何分か計算して待っていた。病院のスタッフはマララを楽しませようと努力してくれた。たくさんボードゲームをしたし、DVDも見た。でも、まだ左目はかなりぼやけているので、眼帯をしていた。

さらに、イギリスのまずい料理を食べるのがつらくなっていた。母のつくったチキンカレーがとてもなつかしかった。マララがおなかをすかせないようにと、マララの大好きな看護師が、チーズ味のウォツィッツを買ってくれた。別の看護師は、イスラーム教の教えにのっとってつくられた、特別なケンタッキーフライドチキンを持ってきてくれた。

みんな、とても親切にしてくれたが、それでも、マララは早く家族に会いたくてたまらなかった。

ファンレター

ある日、病院の報道担当チーフが部屋にやってきて、退屈を忘れさせてくれた。マララへの郵便物を持ってきてくれたのだ。大きなふくろにカードがぎっしり入っていた。

それは、世界中の知らない人たちからのカードだった。その多くは学生からだった。こんなに多くの人が、自分のためにわざわざカードを書いてくれたなんて、信じられない気持ちだった。ところが、それはほんの一部にすぎなかった。郵便物を受けとる部屋には、8000通以上も手紙やカードが届いていた。マララはおどろいて、ベッドから落ちそうになった。

ほとんどの人は、マララが早く回復することを願ってくれていたが、少し変わったメッセージもあった。たとえば、ある一家はマララを養子にしたいといってきたし、結婚を申しこんできたものさえいた！　また、有名人からのメッセージもあった。アメリカのシンガーソングライターのビヨンセ、アメリカの女優で歌手のセレーナ・ゴメス、同じくアメリカの女優のアンジェリーナ・ジョリー（マララの大好きな女優！）などからだ。これらのメッセージを読んでいると、けがのせいですでに頭痛がしていたのに、目まいまでしてきた。

おもちゃやチョコレートやクマのぬいぐるみなどの小包もあった。だが、ベーナズィール・ブットーの成人した子どもたちからのおくりものが、マラテにとっては何よりも貴重だった。ベーナズィールが使っていたショール２枚を送ってきてくれたのだ。

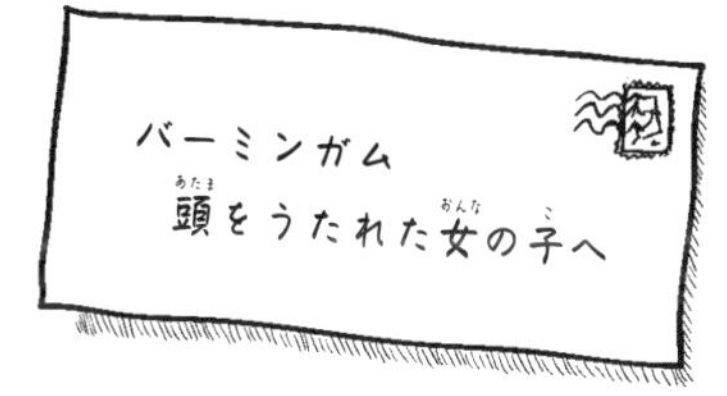

マララは今やとても有名だったので、ただこう書くだけで、手紙はマララの病院までとどいた。

カードやプレゼントもマララを元気づけてくれたかもしれないが、最もよい知らせは、イギリスの元首相で、このとき国連グローバル教育担当特使を務めていたゴードン・ブラウンが、マララに敬意を表して、すべての子どもが教育を受ける権利を求める署名活動を開始したことだ。おどろいたことに、すでに100万もの署名が集まっていた！　マララは大喜びした。皮肉なことだが、タリバンにうたれなかったら、これほど多くの人からのはげましは受けられなかっただろう。

家族との再会

パキスタンを出てイギリスに運ばれてから10日、うたれてから16日たったときマララはようやく家族と再会できた。それほど長い時間ではないように思えるかもしれないが、マララには永遠のように感じられた。

両親が病室に近づいてきて、ふたりの声が聞こえたとたん、なみだがあふれて止まらなくなった。不安でたまらない日々をすごしていたので、ほっとして、弟に会えたことさえうれしかった！

マララ！
ホシュハール、アタル。
こっちにきて、だきしめて。

ジアウディンとトールペカイは、マララのようすを見て心配になった。顔の半分しか動いていないし、短くてかんたんな言葉しか話せない。

タリバンが娘のかわいい笑顔をうばった、とジアウディンはトールペカイに泣いてなげいた。

マララはふたりをなぐさめた。

わたしは今でもマララよ。

マララは、以前は少し見栄っぱりで、鏡の前で何時間もかみの毛をいじっていた。でも、うたれてから、そういうことすべてが変わった。生きている——そのことが今では、見かけよりもずっとずっと大事なことだった。

うたれてから、ほかにも変わったことがある。スワートでは、試験の結果が悪かったとか、モニバとつまらないことでけんかしたとか、ちょっとしたことですぐに泣く、泣き虫だった。だが、今はちがう！　首に注射を受け、頭をぬいあわせていたホチキスの針をぬかれても、まったく泣かなかった。両親が病室に入ってくるまで、一滴もなみだを流さなかった！

現実にたちむかう

マララがこの病院に入院してから1か月がたったとき、医師たちはマララの顔の手術をすることを決めた。顔の左側を動かす神経が、銃でうたれたときに切断されていたのだ。目をあけたりとじたりすることや、まゆ毛を上げたり、笑ったりすることに影響がある。すぐに手術をしないと、顔の左側は一生まひしたままになるかもしれない。

手術はむずかしかった。終わるまで8時間以上もかかった。外科医は、マララの顔の神経をつなぎあわせているときに、耳の鼓膜も破られていることを発見した。音がこもって、よく聞こえなかったのもむりはない。幸運なことに、外科医はマララの鼓膜もなおすことができた。

すべて予定通りに進んだが、手術の効果があらわれるまで、しばらく時間がかかるだろう。それまで、マララは鏡にむかって顔を動かす訓練をしなければならなかった。

訓練は大変だし、退屈でもあった！　それでも、マララは1日もかかさず毎日、4か月も訓練を続け、ふたたび顔を動かすことができるようになった。うたれる前とまったく同じというわけにはいかなかったが、マララは気にしなかった。頭痛がようやくおさまり、また本が読めるようになったのだから！　さらに、そのお祝いに、イギリスの元首相ゴードン・ブラウンが、とてもきれいな『オズの魔法使い』をマララにプレゼントしてくれた。

マララを助けてくれた人たち

わたしがよくなるために、それはそれは多くの人が関わってくれた。外科医、医師、看護師、理学療法士など。とても全員の名前はあげきれないわ。

ほかにも、マララを移動させるために手をかしてくれた人たち、パキスタンでマララの家族をはげましてくれた人たちなどもいる。いくら感謝してもしきれないとマララはいう。ここに書いたのは、その中のほんの一部にすぎない。

アリー・ムムターズ医師
フィオナ・レイノルズ医師
ジュナイド・ハーン大佐：マララの命の恩人。マララのクマのぬいぐるみには、この先生の名前がついている。
カート・ハケット看護師：頭の毛がそられていたときに、マララのかみを整えた。
ジャーヴィド・カヤーニー医師：マララのふたり目の父親のようだった。
リチャード・アービング外科医：顔の神経をつなぐ手術をして、マララの笑顔を取りもどした。
ジュリー・トレイシー看護師長：マララの友だちになった。
ムスリム・チャプレン*、リアーナ・サディク：クルアーンを読んで、マララをなぐさめた。
報道担当チーフ、フィオナ・アレクサンダー：マスコミに情報を伝え、マスコミからマララを守った！

＊ムスリム・チャプレン……イスラーム教徒が少数派の国でくらすイスラーム教徒を支える人。

さて、どうしよう?

２か月以上がたち、マララとマララの家族はパキスタンにもどるわけにいかないということが明らかになってきた。少なくとも、今は。

パキスタン政府は、マララをうった犯人をつかまえたものに、100万ドルの報奨金を出すと発表した。犯人は23歳の学生アターウッラー・ハーンだとわかっているが、まだつかまっていない。ベーナズィール・ブットー暗殺計画をたてたものも、いまだに逃走中であることを考えると、すぐにつかまるとは考えにくい。

その２か月ほどの間に、ファズルッラーはもう、スワート・タリバンのトップではなくなっていた。ランクがあがって、全パキスタン・タリバンのトップになったのだ！　そして、マララとジアウディンが、今も殺害予定者リストにのっているとはっきりいっている。だから、状況が変わるまで、バーミンガムにいることになるだろう。

悲しかったけど、
怒らないことにしたの。

10 マララ、退院する

３か月も病院ですごしたあと、マララはようやく退院して、家族のもとにもどれた。家族はイギリスで新しい家に住んでいた。パキスタン政府が用意して、すべての費用をはらってくれていた。

ミンゴーラには２階か３階建ての建物しかないが、イギリスの新しい家はマンションで、10階にあった！

トールペカイはそれまでエレベーターを見たことがなかった。マンションに足をふみいれて、初めてエレベーターを見たとき、それがなんなのか、まったくわからなかった！

おしゃれなキッチン用品やゆかから天井まである窓など、マンションはミンゴーラの家とは何から何までちがっていた。マララは鼻を窓ガラスにおしつけて、しょっちゅう下を通る人たちをながめた。そして、特に金曜日や土曜日の夜には、ほとんど何も身につけないで外を歩いている女性たちがいるのを見て、とてもおどろいた！

それから、家族そろってホームシックになった。ミンゴーラの何もかも、学校の横のくさい川のにおいさえも、なつかしかった！

週に１度、マララはスカイプでパキスタンにいる学校の友だちと話した。画面に友だちの顔がうつると、マララはなみだがあふれそうになった。

みんなはいってくれた。

「ほら、あなたの席は、今もちゃんとあるのよ！」

友だちの顔を見ることができるのはすばらしいことだが、それでも、みんなに直接会いたくてたまらなかった。特にモニバに。

モニバほど、わたしのことをわかってくれる人はいないわ。

わが家にまさるところなし

しばらくしてマララ一家は静かで緑の多い場所に引っこした。ミンゴーラから、みんなの荷物もいろいろ届いたし、家は清潔できれいだった。それでも、まだ自分の家という気がしなかった。

ホシュハールは自分の部屋にこもって、もらったXboxで遊んでばかりいる。

アタルはイギリスが気にいったようだ。特に、ヌテラ*をぬったサンドイッチが好きだ。

トールペカイは友だちに会えなくてさびしい。

＊ヌテラ……ヘーゼルナッツとココア味のペースト。

ジアウディンもつらい思いをしていた。マララがうたれたことで責められていたのだ。自分が目立ちたくて、娘のマララに、むりやりスピーチをさせたりテレビに出演させたりしているといわれていた！

そんなある日、イギリス元首相ゴードン・ブラウンから電話があった。電話を切ったとき、ジアウディンは口の両端をあげて、にんまりとほほえんでいた。ゴードンから国連のチームで働かないかと申し出があり、グローバル教育の特別顧問になることになったのだ！　まさに、ジアウディンにうってつけの仕事ではないか。すべての人が教育を受けることの重要性を伝えるのだ。

マララはうれしかった。まだ、ひどいホームシックにかかっていたが、イギリスを好きになれるように努力していた。

- 何年もタリバンをおそれるくらしをしていたので、あとをつけられたり攻撃されたりする心配をしないで、通りを歩けるのはすてきだ。
- 女性が警官として働いたり大企業を経営したりと、あらゆる仕事をしているのはすばらしい。イギリスでは、なんの制限もないようだ。

- みんな規則を守り、時間におくれないところがよい。

学校にもどる

５か月もたって、ようやくマララは学校へもどれた。深緑色の新しい制服を着て学校へ通えるのは、ほっとすると同時にわくわくしたし、どきどきもしていた。また勉強を始められるのが待ちきれない一方で、知らない人ばかりの学校へ行くのはとてもこわかった。

さらに悪いことには、もうすぐ16歳になるというのに、GCSE試験*の準備がしっかりできるように、下級生といっしょの14歳のクラスに入れられたのだ。マララは英語がとてもじょうずだが、イギリスのカリキュラ

＊GCSE試験……イギリスの義務教育を修了するのに必要な試験。16歳になる11学年で受ける。

ムは今までとまったくちがうし、音楽、コンピューター科学、家庭科などのように、習ったことのない科目もあった。

イギリスでマララが入学したエッジバストン・ハイスクールは、ホシュハール・スクールとは全然ちがうのだ。

まず、ものすごく広いので、初めの数週間は、ろう下や階段の迷路で迷子になり、どうしたらよいのかわからなくなった。道がわかるようになっても、教室は前の学校とは全然ちがった。

友だちをつくるのも大変だった。まわりの女の子たちは親切でやさしかったが、その子たちとすごしていると、パキスタンのモニバやほかの友だちに会いたくなった。ここでは、ただのマララではなく、「タリバンにうたれた少女、マララ」か「活動家のマララ」だった。

パキスタンでは、8冊か9冊、本を持っているだけで、ほかの子には本の虫だと思われたが、ここでは、何百冊も本を持っている女の子たちがいる。クラスには、ホシュハール・スクールでマララを負かしたマルカ・エ・ヌールのような子ばかりがいるように見えた。もう二度とクラスで1番になることはできないかもしれないと不安になった。それでも、断固としてがんばりつづけて、どのクラスのどんな女の子でも、夢に見ることしかできないようなチャンスを手にいれた。

受賞

2013年に、マララはふたたび国際子ども平和賞にノミネートされ、ものすごくおどろいたし、うれしかったことに、今回はマララが受賞した！

マララは授賞式のためにはるばるオランダまで行った。退院してから初めての長距離移動だった。マララは、子どもたちを学校へ行かせるのが大変な世界中の家族のために、トロフィーを受けとった。だが、頭上に高々とトロフィーをかかげたとき、ファズルッラーのことを考えずにはいられなかった。

どうだ、タリバン！

国際子ども平和賞は、その後もらうことになる多くの賞の始まりにすぎなかった。それからまもなく、マララの部屋のたなは、世界中からおくられたトロフィーやメダルや賞状であふれかえるようになった。

それから、夏学期には、マララは本当にわくわくする招待状を受けとった。パーティーの招待ではない。国連からだ！　ニューヨークで7月12日（マララの16歳の誕生日！）に開催されるユース集会で、スピーチをしてほしいといわれたのだ。

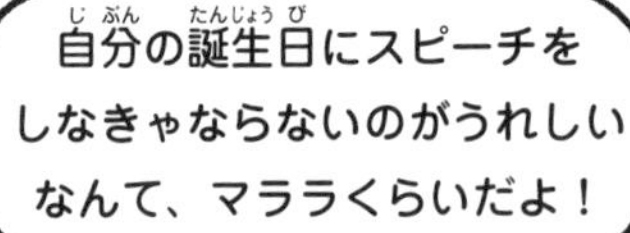

自分の誕生日にスピーチを
しなきゃならないのがうれしい
なんて、マララくらいだよ！

国連ユース集会

国際連合（国連）とは、世界中のすべての国の協力をうながす国際機関だ。2002年にユース集会をつくり、現在は２年に１度、世界中から最もすぐれた若きリーダーやチェンジメーカー*を集めて、世界の大きな問題について話し合い、解決方法を見いだそうとしている。

マララはわくわくしていたが、アメリカへ行くのが少しこわくもあった。パキスタンでは、アメリカはおそろしい場所で、アメリカ人はいじわるでモラルがないと思っている人が多い。マララはニューヨークについて、テレビや映画から得たイメージしかなかった。だから、実際にセントラルパークやタイムズスクエアにいると、映画の中にいるような気分になった。そして、アメリカ人は想像していたのとはまったくちがった。とても友好的で、マララをあたたかくむかえてくれた。

誕生日の日、マララは目をさましたときからどきどきしていた。午前中は、鏡の前でスピーチの練習をしてすごした。国連でスピーチをしてもらうだけではたりないとでもいうように、マララを祝うために、国連はその日（７月12日）を「マララ・デー」と名づけた。

＊チェンジメーカー……社会の問題を解決しようとする人。

プレッシャーについて
話すわ！

緊張はしていたけれど、わくわくしながら、マララはお気にいりのピンクのシャルワール・カミーズ（ズボンとチュニック）を着て、ベーナズィール・ブットーのショールを取りだした。マララは１度もベーナズィールに会ったことはなかったが、そのショールを肩にかけたとたん、とても落ちついた。まるで、どこへ行ってもベーナズィールがいっしょにいてくれているみたいだった。

誕生日おめでとう、マララ

タリバンは、マララがこの言葉を聞けるのを、くやしく思っていることでしょう。「16歳の誕生日おめでとう、マララ」

今ではすっかり家族ぐるみの友人となったゴードン・ブラウンは、ニューヨークでのユース集会で、マララをこのように紹介した。

マララはスピーチ用の台にあがったとき、去年の誕生日のことを思いだした。

15歳になったばかりのときには、パキスタンを出たことがなかった。

ところが今、世界で最も大きく有名な都市のひとつで、国際的にとても重要な組織を通して、500人以上の若者たちに話しかけようとしている。

マララがマイクの前に立つと、その場が静まりかえった。マララはその瞬間、自分をほこらしく感じた。これまでに成しとげてきた多くのことが思いだされた。少し間をとってから、スピーチを始めた。

兄弟、姉妹のみなさん、マララ・デーは
わたしのための日ではありません。権利を
求めて声をあげてきた、すべての女性、
すべての少年、すべての少女のための日です。

タリバンにうたれたことで有名になったが、マララは自分が特別なわけではないことを知っていた。世界中で何千人もの子どもたちが、今もマララと同じ問題で苦しんでいる。その子どもたちを失望させたくなかった。

「わたしは前と同じマララです。野心も同じです。願いも同じです。夢も同じです」といって、このあと、マララのキャッチフレーズとなった言葉をのべた。

マララがスピーチを終えると、一瞬、間があった。それから、聴衆はいっ

せいに立ちあがり、拍手をして歓声をあげた。

16歳の誕生日はびっくりするような日となった。世界中から、カードやプレゼントが次々に届いた。ニューヨークのブルックリン橋に、マララの写真がうつしだされていた。その上、なんとインスタグラムでビヨンセが誕生日のお祝いのメッセージを送ってくれた。

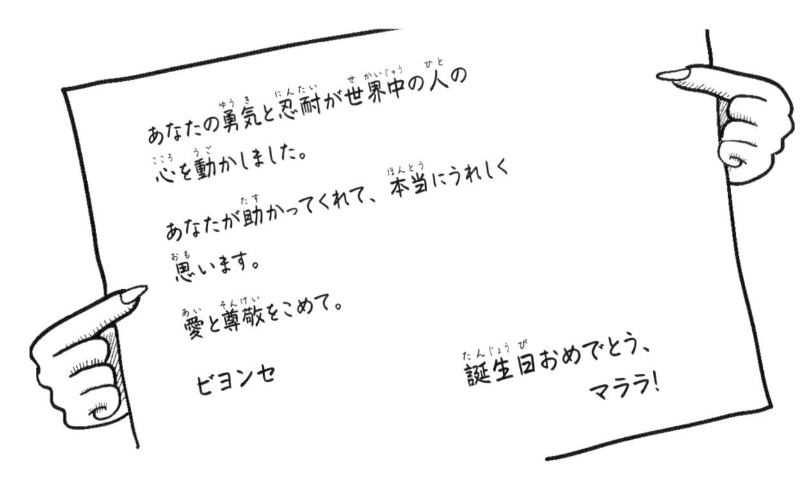

あなたの勇気と忍耐が世界中の人の
心を動かしました。
あなたが助かってくれて、本当にうれしく
思います。
愛と尊敬をこめて。
ビヨンセ
誕生日おめでとう、
マララ!

マララはずっと、世界中の人たちに自分の言葉を聞いてもらいたいと願っていた。まだまだ、やらなければならないことはたくさんあるが、ようやく、権力を持つ人たちが耳をかたむけてくれるようになったようだ。

マララ・デーについて

マララは最初、「マララ・デー」にとまどいを感じていたが、自分の伝えたいことを広めるのに、これほどよい機会はほかにないと気がついた。

今では毎年、この日のために何かものすごく特別なことをすることにしているの。

18 の今日

学校

18歳の誕生日には、シリア難民の少女たちのためにレバノンに学校を開いた。

19歳の誕生日には、地球上のすべての少女が12年間の良質な教育を受けられるように求める #YesAllGirls キャンペーンを開始した。

21歳の誕生日はブラジルですごし、貧しいため、あるいは暴力がはびこっていたり人種差別があったりするせいで、学校へ行けない150万人の少女たちのために活動した。

11 マララが次にしたこと

ニューヨークへの旅は、その後マララが成しとげる多くのことの最初の1歩にすぎなかった。数か月後、タリバンにうたれてからほぼ1年になる2013年10月8日、世界で一流の海外特派員であるクリスティーナ・ラムと共同執筆で、自伝『わたしはマララ』を出版した。マララはたった16歳で、この先の人生もまだまだ長いというのにだ。

ほら、これで、あなたたちがどんなに悪い子か、世界中が知ることになるわ。
I AM MALALA
『わたしはマララ』

マララは自分の物語を多くの人に知ってもらえるのをうれしく思う一方で、知らない人たちが、マララの個人的な人生の詳しい話を読んでくれるのか不安も感じていた。マララは、自分の物語を読みたがる人がそんなにたくさんいるとは予想もしていなかった。ところが、その本はまたたくまにベストセラーとなり、3年もたたないうちに世界中で180万部も売れた！

マララ、オバマ大統領に会う

本が出版された数日後、マララはアメリカのホワイトハウスに招待された。当時の大統領バラク・オバマ自身が「パキスタンの少女たちの教育のために、情熱的に努力して人々をふるいたたせたマララにお礼をいいたい」とのことだった。すごい！

マララはオバマ大統領にあこがれていたので、会えるのがとてもうれしかった。そして、少女たちの教育と平等を支援してくれたことにお礼をいった。だが、たっぷりと不平も伝えた。アメリカはタリバンを攻撃するために、ドローンが運ぶミサイルを使っているが、そのせいで罪のない人たちも殺されたと。

マララはいくつかきびしい質問をなげかけ、オバマ大統領はそれを真剣に受けとめてくれた。それから、マララにこっそり、こんなことまでいってくれた。

政治の世界にあまり早く入らないほうがいいよ。かみが白くなってしまうから！

その後、有名人の友だちがどんどん増えていった。世界的に有名なサッカー選手デビッド・ベッカムが、プライド・オブ・ブリテン・アワード*

＊プライド・オブ・ブリテン・アワード……英国で開催されている毎年恒例の授賞式。きびしい状況で勇敢に行動したイギリスの人に対しておくられる。

をマララに手わたし、マララのことを「感動的だ」といった。アカデミー賞をとったアメリカの女優リース・ウィザースプーンは、10代の自分の娘からマララのことを聞いて知り、マララのことを「信じられないほどスピーチがうまく……信じられないようなことをやっている」といった。それから、スーパースター歌手ジャスティン・ビーバーと話をした。

きみに直接会える日が
待ちきれないよ。
わたしもよ！

マララは雑誌の表紙に写真がのり、ドキュメンタリー映画『わたしはマララ』にも出演した。アメリカのテレビ番組の司会者オプラ・ウィンフリーとデビッド・レターマンからインタビューを受け、またベストセラーとなった絵本『マララの魔法のえんぴつ』を書いた。これはもちろん、『シャカラカ・ブン・ブン』というマララが子どものとき大好きだったテレビ番組からアイデアを得たものだ。

どうして、マララはそんなに有名なの？
いったい、何をしたっていうの？
でもね、アタル、あなたが
近くにいるんじゃ、絶対
うぬぼれたりできないわ！

とても大きな賞

2014年、マララは別のある賞にノミネートされた。実は、その賞にノミネートされるのは2度目だったし、受賞できるとはあまり思っていなかった。だから、副校長先生が化学の授業中にマララを呼びだしたとき、何かよくないことが起きたのだと思った。先生から「受賞が決まったよ！」といわれても、信じられないほどだった。

それは、マララがそれまでもらった中で最も大きな賞だった。そう、なんとノーベル平和賞だ！　その日の夕方、家にもどると、ふたりの弟も信じられないと思っていた。

この賞をもらうには、
40年早いよ。
うわー！
NOBEL PEACE PRIZE 2014

弟のいうとおりだ！　113年におよぶノーベル賞の歴史の中で、受賞者の平均年齢は62歳なのに、マララはまだたった17歳だ！

マララは国連でもスピーチをしたし、ノーベル平和賞を受けとるときにもスピーチをしなければならないだろう。その上、受賞を祝うために学校で特別に集会が開かれ、マララは学校の全生徒の前で話さなければならなくなった。マララはこまってしまった。何を話したらよいか、当日まで考えがうかんでこなかったのだ！

ノーベル平和賞

- 毎年、何百人もの人がノーベル賞にノミネートされる。ノーベル賞には文学、物理学、化学など６つの分野があるが、平和賞が最もよく知られている。受賞者はメダルと賞状、さらに約１億円の賞金を受けとる！

- この賞は、スウェーデンの発明家であり製造業者でもあったアルフレッド・ノーベルによって創設された。遺産でこの賞を創設するよう書き残したのだ。

- ノーベル平和賞受賞者には、バラク・オバマ、マザー・テレサ、ネルソン・マンデラなどがいる。なかには、まったく聞いたことがないような人たちもいるかもしれない。だが、目立たなくとも、懸命に努力を続けて、信じられないほどのことを成しとげた人たちなのだ。

- 2014年までに103の個人と25の団体が受賞しているが、女性の受賞者はマララでまだ16人目だ。

17歳だったマララは、ノーベル平和賞受賞者の中で最年少であり、パキスタン人としてもパシュトゥーン人としても初めての受賞者だった。マララは、インドの子どもたちの権利のために活動したカイラシュ・サティーアーティ（60歳）とともに受賞した。

授賞式はノルウェーのオスロで12月に行われたが、マララはひとりでは行かなかった。マララといっしょにバスの中でうたれたふたりの少女、シャーズィヤとカーイナート、それから女子教育のために運動している活動家の少女たち数人も招待した。マララは大切なことを主張しようとしていた。

わたしの身に起きたことは、めったにないことではなく、よくあることだから話しているのです。多くの少女たちの身に起きていることなのです。この賞はわたしだけのものではありません。教育を望みながら、忘れさられた子どもたちのものです。平和を望みながら、おびえている子どもたちのものです。変化を望みながら、声をあげられずにいる子どもたちのものです。
CXCVI + ALFR-N

スピーチはまたたく間に広がった。YouTubeで400万回も再生された。世界中が、かつてないほどマララに注目するようになっていた！

時間のやりくり

この上もなく大きな賞をとったおかげで、マララはとても有名になり、あらゆるところからスピーチを求められ、たった1年で5000以上もの依頼がきた！　とてもいそがしくなり、家に帰りつくのが深夜1時を過ぎることもあった。それでも、ゆっくり休むわけにはいかなかった。朝ベッドから出るのが苦手だというのに、数時間後には、学校へ行くために起きなければならなかった。それに、授業中いねむりをしないようにするのがとても大変だった。だが結局は、GCSE試験でよい成績をあげるために、スピーチをへらさざるをえなくなった。

大けがをしたり、海外にしょっちゅう行ったり、学ばなければならない新しい科目があったりと、大変なことがたくさんあったにもかかわらず、2015年8月に出たマララの成績は、まちがいなく最優秀だった。Aが4つに、Aのさらに上のA*が6つの成績だ。すばらしい！

マルカ・エ・ヌールはどんな成績だったのかしら？

マララの人気は何年も続き、たくさんスピーチをしたことと自伝がすばらしくよく売れたおかげで、マララは大金持ちになった！　だがもちろん、そのお金をスピードの出る車やしゃれた家を買うのに使おうとはまったく思わなかった。ノーベル平和賞の賞金はすでに、紛争で破壊されたパレスチナ自治区ガザの学校を再建するために寄付していた。さらに、マララがかせいだ75万ポンド（約1億2000万円）は、2016年までに世界中の教育関連の慈善団体に寄付されている。

当然、お金がたくさんあっても、マララが自分の教育をやめることはない。すぐにエッジバストン・ハイスクールへもどり、GCSE試験のAレベルと呼ばれる大学進学を目指す試験のために勉強した。モニバほどの友人はいなくても、今ではイギリスにもたくさん友だちがいたし、あまりにもたくさん、ほかにやることがあったので、クラスでトップかどうかを前ほど気にしなくなっていた。

高校を卒業したら、どうしよう？　もちろん、大学へ行くつもりだけど、こんなにたくさんスピーチをしていて、学位のための勉強と両立できるかしら？

それでも、ついにマララは、イギリスのオックスフォード大学、レディ・マーガレット・ホール・カレッジで、哲学・政治・経済学（PPE）を学べることになった。政治の世界に入りたいものには完ぺきな選択だ。ベーナズィール・ブットーも、同じカレッジで同じこれらの科目を学んでいた。

まだパキスタンにもどるのは安全ではないが、この状況がいつまでも続くわけではないだろう……。

マララ基金

マララは注目をあびていることを利用できると考えて、2013年に父ジアウディンと、学校へ通っていない世界中の少女たちを助けるための基金を設立した。学校へ通っていない女子の数は、なんと1億3000万人にもおよぶ！　この基金の目的は以下のふたつだ。

- **少女が学校へ通っていない理由をつきとめる。**
- **権力を持つ人々にこの問題の解決を求める。**

そして、ヒラリー・クリントン*が設立した慈善団体とアメリカの有名な女優アンジェリーナ・ジョリーが支援してくれた。

そうなのよ。

この基金から、まず初めに、スワートにある団体に助成金がわたされた。そのおかげで、働かされることになっていた40人の少女の教育を支えることができた。

＊ヒラリー・クリントン……アメリカ合衆国の政治家、弁護士。第42代アメリカ合衆国ファーストレディ、第67代アメリカ合衆国国務長官。

ガールパワー・トリップ

2017年春には、順調に基金が本格的に始動し、マララが考えていた中で最も大きなプロジェクトが始まることになった。半年かけて、４つの大陸をおとずれるというものだ。マララが何をするのかというと：

できるかぎり多くの少女に会って、話を聞き、世界のリーダーたちに、何をすればその少女たちを助けられるかわかってもらう。

この、プロジェクトは「ガールパワー・トリップ」と名づけられた。

少女たちは、社会を、国を、世界を
変えることができるのよ。
統計を見てちょうだい……。

学校を大切にして、
地球を守ろう！
学校

- すべての少女が12年間学校へ通えれば、貧しい国の経済を年に920億ドル（約12兆円）増やすことができる。
- 教育を受けた少女のほうが健康で、若すぎる結婚をしなくなる。そして、その子どもも、より健康で、教育をうける割合が高くなる。

- ある団体の見積もりによると、少女に中等教育を受けさせることが、気候変動対策の投資として最も効果的な方法だということだ。教育を受けた少女が増えれば、生まれる子どもの数がへり、人口が急激に増えるのをおさえられる。さらに、女性のリーダーのほうが、男性のリーダーより気候変動対策を重視する傾向がある。
- また、興味深いことに、すべての子どもに中等教育を受けさせている国のほうが、戦争を始める可能性が50%も低い。

ガールパワーを世界へ

訪問1：アメリカ

マララが最初に訪問したのは、アメリカのペンシルベニア州にある小さな都市ランカスターだ。「アメリカの難民都市」として知られている場所で、アメリカのほかの都市の20倍も難民を受けいれている。ここで、マララはコンゴ民主共和国からの難民マリエに会った。マリエはここで、とてもうまくやっている。

わたしは大学へ行って、
看護の勉強をするわ！

訪問2：カナダ

マララはカナダ議会でスピーチをして、世界の教育、特に難民のための教育に資金を集めるのに協力してほしいと呼びかけた。

未来の世代の人たちに「ようやく、すべての少女が何もおそれることなく学び、リーダーになれる世の中になった」といってもらいたいの。

訪問3：イラクとクルディスタン

2017年のマララ・デー、マララの20歳の誕生日に、マララは13歳のナイルとイラクのテーマパークにいた。ナイルはISIS*のテロリストが侵入してきたため、故郷から逃げださなくてはならなくなった。現在は難民キャンプでくらし、うだるように暑いテントの中が学校だ。それでも、ナイルは固く決意している。

訪問4：ナイジェリア

ナイジェリアのラゴスで、マララは友人のアミナを連れて大統領代行に会いにいった。そして、ナイジェリアの教育水準をあげてくれるようにたのんだ。

ナイジェリアはアフリカで最も豊かな国なのに、世界のどこよりも、学校へ通えていない少女の数が多いんです！

＊ISIS……イスラーム過激派組織。「イスラーム国」とも呼ばれている。

- メキシコでは、4人にひとりの少女が18歳の誕生日をむかえるまえに結婚する。そのうち90%は二度と学校へもどることはない。
- いなかでは、12歳や13歳のうちに結婚させられる少女たちがいる。まずしくて、ほかに生きていく方法はないと信じているからだ。
- 国の文化は男性が支配している。そのため、少女が夢を追いかけることはむずかしい。

活動を続ける

マララはイギリスにもどり、大学へ行くための荷造りを始めた。変化の歯車が動きだせるだけのことはしたと信じたかった。あとは、今の状況を変えてくれるように、会ってお願いした世界のリーダーたちにまかせるしかない。マララも、自分の勉強を続けなければならないのだから。

Aレベルの試験が終わるまで、ツイッターを中断していた。勉強のさまたげになるのをおそれたのだ！　2017年10月９日、マララはものすごく特別なツイートをした。

マララ

５年前、女子教育をうったえるわたしをだまらせようと、タリバンがわたしをうちました。でも今、わたしはオックスフォード大学で最初の授業に出ています。

その日の終わりまでに、そのツイートには100万以上の「いいね」がつき、何千もの返信があり、その中に、特別なコメントがひとつあった。

ホシュハール

５年間もの頭痛、お気のどくに。ぼくたちのことを忘れないでね。ぼくがいなくて、さびしいだろうけど、２年後には、ぼくもオックスフォードに行くよ。

弟のホシュハールからの、意味深な返信だった。

100万人以上もフォロワーがいるので、マララは多くの人たちに自分の言葉を読んでもらえてうれしかったし、世界中のほかの若者たちとつながっていられた。

家族と離れるのはさびしかったが、マララはすぐにオックスフォードになじんだ。そして、いまだに自分は「ふつうの女の子」だといっている。確かに、授業中や試験勉強中でないときは、ビヨンセやリアーナの曲を聞いたり、テイクアウトの食べ物を注文して、夜遅くまで新しい友だちとチャットをしたりしている。すぐに、クリケットクラブにも入ったし、大学のカレッジツアーのガイドにも登録した。それから、車の運転の練習も始めた。さらに、次の本を書きはじめた。子どもの難民の話で、自分の経験やガールパワー・トリップで出会った多くの少女たちからアイデアを得てつくられたものだ。

また、もちろんマララ基金のことでは、いつもいそがしかった。それでも、2018年3月には、ようやく個人的な旅行に出ることができた。

なつかしい故郷

ああ、これこそまさに、わたしの人生で最も幸せな瞬間だわ。

マララはもう、ほぼ世界中をまわっていたけれど、パキスタンにはもどっていなかった。飛行機がイスラマバードに着陸すると、マララはすすり泣いた。

すべてのことが、細心の注意をはらって計画された。スワート渓谷は軍の支配下にあるが、パキスタンのほかの地域では、テロリストの攻撃がたびたびある。ファズルッラーはまだつかまっていないし、マララとマララの家族はタリバンの殺害予定者リストにのっている。だから、マララ一家は厳重に警備され、旅程はトップシークレットだった。イスラマバードからは、ヘリコプターでスワートへ移動した。窓から大好きな山や川が見えると、マララは時間をさかのぼったような気がした。着陸したのは、5年半前、マララがうたれて危険な状態で、意識もないまま飛びたったヘリポートだった。

ミンゴーラは前より人が多く、混雑しているように思えたが、前より平和そうにも見えた。ファズルッラーの元の本拠地は破壊され、野原や木々は以前と変わらずそこにあった。スキー・リゾートがふたたびオープンしていたし、新しい遊園地まであった。タリバンが支配していたら、許可しなかっただろう！

マララ一家が乗った車が以前住んでいた通りに入ると、耳をつんざくほどの歓声があがった。マララたちがもどってくるといううわさが広まって、500人以上もの友だちや近所の人たちが出むかえて、歓迎していたのだ。そして、多くの人たちにだきしめられ、祈りをささげられ、写真をとられた。でも、マララはおおぜいの人たちの中から、たったひとりをさがしていた。

ようやく再会できたふたりは、なみだを流してよろこんだ。マララとモニバはすわって、会えずにいた長い時間の間に何があったか報告しあった。

元の家には別の家族が住んでいたが、中の様子はあまり変わっていなかった。マララの本やトロフィーは、まだマララの部屋にあった。それらを見ていると、いろいろなことが思いだされた。だが、いつまでも、そんな思い出にひたっているひまはなかった。パキスタンには4日間しかいられないのだから。一家はすぐに車にもどり、次の場所へむかった。

パキスタンの首相に会わずにパキスタンをさるわけにはいかない。このときの首相シャヒード・カカーン・アバシ*は教育を重視しているようで、議会で教育に関するスピーチもしている。まだまだやるべきことはたくさんあるが、パキスタンの教育の状況はとてもよくなってきていた。2013年にマララ基金を始めてから、600万ドル（約8億円*）以上がパキスタンの教育に使われている。

＊シャヒード・カカーン・アバシ……本来の音は「シャヒード・ハーカーン・アッバースィー」が近いが、日本では一般に「シャヒード・カカーン・アバシ」と報道されてきたため、本書でもこれに合わせた。
＊約8億円……2023年4月1日時点のレートで換算。

う たがい深い人たち

マララの帰国は、戦いに勝利して帰ってきたお祝いのようだった。多くの人が大喜びでマララをむかえた。

それでも、すべての人がマララに好意的だったわけではない。

やりとげた仕事の成果が真実を語ってくれることを願って、マララはこのような言葉は気にしないようにした。

世界のほかの地域でも成果を出していた。ガールパワー・トリップで、マララはカナダの首相ジャスティン・トルドーに会い、G７（先進７か国首脳会議）で女子教育の重要性を訴えてくれるように求めた。そして、2018年６月、おどろくべきニュースが届いた。トルドーが約束を守った結果、主要７か国と世界銀行などが協力して、なんと29億ドル（約3800億円*）もの資金が女子教育に提供されることになったのだ。

歩みつづける

マララと家族にとって、パキスタンが故郷なのは変わらないが、今ではイギリスでそれなりに幸せにくらしている。

いくつか変化があった。トールペカイが英語を学びはじめ、ジアウディンは料理を学びはじめた！

だが、それ以外はあまり変わっていない。マララは相変わらず朝ベッドからなかなか出られないし、週末に家へもどると、ホシュハールとアタルはマララをいらだたせた。

＊2023年4月1日時点のレートで換算。

マララ一家は、イギリスの雨にはどうしてもなれることができそうになかった。

インターネットで買い物をする人が多いのもむりないわ。

2018年6月、マララは、ファズルッラーがアメリカ軍の無人航空機による攻撃で死んだと知らされた。これで、近いうちにパキスタンにもどれるだろうとマララは思った。それでも、とびあがって喜んだりはしなかった。ファズルッラーが死んでも、愛するパキスタンからテロがなくなるわけではないとわかっていたからだ。

オックスフォード大学を卒業したらどうしたいのか、まだはっきり決まっていなかった。首相になりたいのかどうかも、よくわからなかった。

世界中の大統領や首相にずいぶんたくさん会ってきたけど、状況を改善できていないみたいなの。
なんだか、マララらしくないな。
わたしが望むような変化をもたらすためには、きっとほかの方法があるんだわ。

おそらく、その答えはマララがすでに行っていることの中にあるのだろう。それは、立ちあがって、声をあげる、ほかの「マララ」たちを見つけることだ。

そのうちのほんの数人をここにあげておく。

北インド：ザイナブはすぐれた学生にあたえられる賞金を断り、代わりに自分の村に学校を建ててくれるようにたのんだ。

イラク：タハニーは、ISIS のテロリストたちが図書館を燃やそうとしたとき、命をかけて本を守った。

グァテマラ：エメリンは自分の村で、女子に対するよりよい教育と健康を求めて数か月間運動を行った。

ナイジェリア：ピースは、親たちに娘を学校へ行かせるようにすすめる組織をつくった。

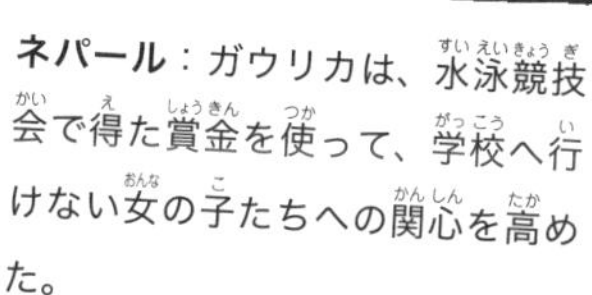

ネパール：ガウリカは、水泳競技会で得た賞金を使って、学校へ行けない女の子たちへの関心を高めた。

13 歳でオリンピックに出場した、リオ五輪の最年少選手！

このすばらしい少女たちは、次は何を成しとげてくれるのかしら。すべての人が教育を受けられる日がいつか、くるかもしれないわね！
そうだね、マララ。自分が何をしたらいいのか、もう、わかってるんだね！

ふー！　なんて
いそがしいのかしら！

1947年8月14日　パキスタンがイギリスから独立するが、すぐに軍が支配権をにぎる。

1973年8月14日　パキスタン人民党のズルフィカール・アリー・ブットーが選挙で選ばれた最初のリーダーとなる。

1977年7月5日　軍はブットーを追いだし、ズィヤー将軍をその地位につけた。

1979年4月4日　パキスタンでブットーが軍によって処刑される。アフガニスタンで紛争が起きる。

1988年8月17日　ズィヤーが飛行機事故で死ぬ。1988年の選挙期間中、ベーナズィール・ブットーが父ズルフィカールの政党パキスタン人民党のリーダーをつとめる。

1988年12月2日　ベーナズィール・ブットーがパキスタンで初めての女性の首相となった。

1994年　マララの父親ジアウディンがミンゴーラでホシュハール・スクールを開校する。

1996年11月　ベーナズィール・ブットーの政権が終わり、その後、ベーナズィールはパキスタンから出ていく。

1997年7月12日　マララが生まれる。

2001年9月11日　アメリカで同時多発テロ事件が起こる。

10月7日　同時多発テロ事件を引き起こした国際テロ組織アルカイダをかくまっていると、アメリカがアフガニスタンに侵攻し、タリバンのリーダーの多くがパキスタンに逃げこむ。

2002年1月12日　ファズルッラーが宗教グループTNSM「預言者ムハンマドのシャリーア施行運動」のリーダーになる。

2007年7月12日　ファズルッラーがパキスタン政府に戦争を宣言する。

2007年10月18日 ベーナズィール・ブットーがパキスタンにもどってくる。

12月27日 ベーナズィール・ブットーが殺される。

2008年 パキスタンで女子生徒を受けいれている学校がタリバンに攻撃される。

2009年1月3日 名前をかくして書いたマララの最初の日記がBBCのウルドゥー語のブログにのる。

1月15日 タリバンがパキスタンで女子が学校へ行くことを禁じる。

2月16日 タリバンと政府が和平協定を結ぶ。しかし、その後すぐに平和はやぶられた。

6月 マララ一家がミンゴーラから避難する。

7月24日 ミンゴーラの家にもどる。

2010年 マララがフパル・コール財団のスワート地区子ども集会のスピーカーに選ばれる。

2011年12月19日 マララがパキスタンで最初の国民平和賞を授与される。

2012年1月 マララ、初めて飛行機に乗る。タリバンの殺害予定者リストにのっていることを知る。

7月12日 マララ、15歳になる。イスラーム教では、おとなになったと見なされる。

10月9日 マララが家へ帰るバスの中でうたれる。すぐに病院へ運ばれた後、ヘリコプターでペシャーワルへ移されて、外科医ジュナイド大佐がマララの命をすくう。

10月10日 ラーワルピンディーにある軍病院へ移される。

10月15日 プライベートジェットでイギリスへ運ばれ、イギリスのバーミンガムに着く。

10月16日 病院で目をさます。

2013年1月3日 退院して、イギリスの新しい家に引っこす。

2月4日 父ジアウディンとともに、学校へ通っていない世界中の少女を助けるためのマララ基金を設立する。

3月 イギリスの学校に通い始める。

7月12日 マララ、ニューヨークの国連ユース集会でスピーチをして、「ひとりの子ども、ひとりの先生、1冊の本、1本のペンが、世界を変えられるのです」というマララのキャッチフレーズとなった言葉をのべる。

9月6日 オランダで国際子ども平和賞を授与される。

10月8日 マララの自伝『わたしはマララ』が出版される。

10月11日 バラク・オバマ大統領が、マララをホワイトハウスに招待。

2014年10月10日 マララ、ノーベル平和賞を受賞する。賞金は紛争で破壊されたパレスチナ自治区ガザの学校を再建するために寄付する。

2015年7月12日 18歳の誕生日に、シリア難民の少女たちのためにレバノンで学校を開く。

8月20日 GCSE試験でA*が6つにAが4つの成績を取る。

2017年4月11日 女子が教育を受ける権利を求める運動、「ガールパワー・トリップ」を始める。

10月9日 オックスフォード大学の最初の授業にでる。

2018年3月31日 うたれてから初めてパキスタンにもどる。

6月7日 G7と世界銀行などが女子教育に29億ドル（約3800億円）を提供してくれることになる。

さくいん

ここを使えば、読みたい所がすぐに開けるわよ。

著者 リサ・ウィリアムソン（Lisa Williamson）

『The Art of Being Normal』『First Day of My Life』『All About Mia』『Paper Avalanche』など、画期的なヤングアダルト小説を書き、さまざまな賞を受賞しているベストセラー作家。伝記First Namesシリーズ『Dwayne 'The Rock' Johnson』の著者でもある。

画家 マイク・スミス（Mike Smith）

2011年、ケンブリッジ美術学校を卒業し、児童書イラストで修士号を取得。2010年に、前年は次点だったマクミラン・イラストレーション賞を受賞。マンガ日記のブログのほか、絵本、イギリスの週刊誌フェニックスでの連載漫画も手がける。

訳者 飯野眞由美（いいの まゆみ）

東京生まれ。立教大学文学部英米文学科卒。予備校やカルチャースクールで英語を教えるかたわら、翻訳も手がける。訳書に「スパイダーウィック家の謎」シリーズ（全５巻）、「NEW スパイダーウィック家の謎」シリーズ（全３巻）、「ワンダ＊ラ」シリーズ（全９巻）、『アーサー・スパイダーウィックの妖精図鑑』（以上、文溪堂）、『アメリカミステリ傑作選』（DHC出版・共訳）などがある。札幌近郊在住。

パキスタン関連校閲：登利谷正人（東京外国語大学 世界言語社会教育センター / 講師）
装幀：村口敬太（Linon）
カバー・表紙 写真提供：Shutterstock/ アフロ

マララ・ユスフザイ　１冊の本、１本のペンで世界を変える！

2023年　6月　初版第１刷発行

著　者　リサ・ウィリアムソン
画　家　マイク・スミス
訳　者　飯野眞由美
発行者　水谷泰三
発　行　株式会社文溪堂
〒112-8635　東京都文京区大塚３－16－12
TEL（03）5976-1515（営業）／（03）5976-1511（編集）
ホームページ https://www.bunkei.co.jp
印刷・製本　図書印刷株式会社

ISBN 978-4-7999-0459-6　NDC936　143P　216×151mm